2.55

Lesehefte für den Literaturunterricht

In erster Folg
Klaus Göbel
in Verbindun
Dagmar Gren

C000143251

Michael Scharang
Der Beruf des Vaters

mit Materialien
zusammengestellt
von Reiner Friedrichs

Ernst Klett Verlag

Wir kennzeichnen die vorgesehene Klassenstufe, z. B.
bedeutet 9   10: vorgesehen für die beiden Stufen 9
und 10.

Die Hörspiel-Compact-Cassette zu diesem Heft hat die
Klett-Nr. 260771.

Das Lehrerheft hat die Klettbuch-Nr. 260772.

ISBN 3-12-260770-0

1. Auflage   1 ^{8} ^{7} ^{6} ^{5} | 1990   89   88   87

Alle Drucke dieser Auflage können im Unterricht nebeneinander benutzt
werden, sie sind untereinander unverändert. Die letzte Zahl bezeichnet das
Jahr dieses Druckes.
Textabdruck aus: Sendemanuskript aus der Gemeinschaftsproduktion des
Süddeutschen Rundfunks, Stuttgart, und des Westdeutschen Rundfunks,
Köln – Ursendung 1. 5. 1975.
© Michael Scharang, Wien
Materialien: © Ernst Klett Verlage GmbH u. Co. KG, Stuttgart 1981. Alle
Rechte vorbehalten.
Umschlag: Manfred Muraro.
Fotosatz: Setzerei Lihs, Ludwigsburg.
Druck: Wilhelm Röck, Weinsberg.

1. Wer ist Michael Scharang?

Ein Interview mit dem Autor

Michael Scharang ist am 3. Februar 1941 in Kapfenberg in der Steiermark (Österreich) geboren. Er stammt aus einer Arbeiterfamilie. 1960 begann er an der Universität Wien mit 5 *einem Studium der Theaterwissenschaft, Philosophie und Kunstgeschichte. Schon während des Studiums trat er mit ersten literarischen Arbeiten an die Öffentlichkeit. Den Abschluß des Studiums bildete die Promotion mit einer Arbeit über Robert Musils Dramen.* 10

Michael Scharang, der 1973 der KPÖ beitrat, lebt heute als freier Schriftsteller in Wien. Wie lebt, wie arbeitet Michael Scharang, der von Hause aus eine enge Beziehung zum Arbeitermilieu und zur Arbeitswelt hat?

Mit freundlicher Genehmigung des Autors

3

Zuerst eine Ergänzung: Es ist richtig, daß ich 1973 in die KPÖ eintrat. 1978 trat ich allerdings wieder aus, gewissermaßen in freundlichem Einvernehmen mit der Partei, deshalb in aller Stille und längere Zeit unbemerkt von der Öffentlichkeit. Auf diese Weise blieb mir unerwünschter Beifall erspart, und Freund und Feind konnten weiterhin die richtige Meinung haben, ich sei ein unverbesserlicher Marxist.

Warum ich aus der Partei austrat? Ich bin mit einigen führenden Leuten der KPÖ der Auffassung, daß vorerst die Partei zu ändern ist, ehe mit ihrer Hilfe die Gesellschaft verändert werden kann. Eine Partei zu ändern bedarf es nach meiner Erfahrung allerdings eines zermürbenden Kleinkriegs, bei dem es über viele viele Jahre nicht absehbar ist, ob er zu einem Erfolg führt. Dazu fehlt es mir an Zeit und an Lethargie. Und ein richtiger Parteimann, der sich in der Partei auskennt wie in seiner Hosentasche, war ich ja nie, dazu war mein Bedürfnis, mich vor allem in der Literatur auszukennen, viel zu stark.

Wie ich arbeite, wie ich lebe, wie sich meine Herkunft aus dem Arbeitermilieu auswirkt?

Ich lebe bescheiden, aber nicht aus Prinzip, das wäre Angeberei, sondern weil mein Einkommen bescheiden ist. Das hängt sicher auch damit zusammen, daß ich das mache, was mir zu machen wert erscheint, und nicht das, was Geld bringt. Dahinter steckt freilich keine hohe Moral, sondern bloß Egoismus. Wovon ich nicht überzeugt bin, was mir keinen Spaß macht, das mache ich eben nicht.

Ich arbeite regelmäßig, aber nicht sehr viel. Wenn's dennoch mehr ist, als manch andere Kollegen arbeiten, so hängt das wohl auch damit zusammen, daß eine fünfköpfige Familie eben ernährt sein will (meine Kinder sind 11, 16 und 17 Jahre alt). Das klingt etwas schlimmer, als es ist, denn meine Frau ist auch berufstätig, und zwar als Lehrerin an einer Hauptschule. Ich arbeite zu Haus, und im großen und ganzen macht es mir keine Mühe, mich dem Rhythmus des Familienlebens anzupassen, mit einer Ausnahme: ich bin ein Abend- und Nachtarbeiter, meine Frau muß früh aufstehen. An sich kein Problem, wäre nicht unsere

4

Schlafstatt in meinem Arbeitszimmer untergebracht. Eine größere Wohnung mit einer höheren Miete will ich mir nicht anschaffen, aus Angst, meine Unabhängigkeit könnte aus finanziellen Gründen eingeschränkt werden. Da ich mit zunehmendem Alter früher müde und schläfrig werde, löst 5 sich das Problem zwischen dem Nacht- und dem Morgenmenschen allmählich von allein.

Zu dem, was man Freizeit oder Ausspannen nennt, habe ich wenig Beziehung, ich sitze immer lieber für längere Zeit am Schreibtisch. Wenn ich nicht arbeite, lese ich, und wenn 10 ich nicht am Schreibtisch sitze, bin ich in Gedanken immer in irgendeiner Weise mit meiner jeweiligen Arbeit beschäftigt oder denke an ein neues Projekt. Und immer seltener habe ich das Bedürfnis wegzugehen. Mit einer wichtigen Ausnahme: in der Früh laufe ich gern durch einen Park 15 oder über die Felder, die an die Stadtrandsiedlung grenzen, in der ich wohne; ich mache das schon seit zwanzig Jahren, habe also ein Recht darauf, Läufer und nicht Jogger genannt zu werden. Oder ich spiele Tennis, zwar erst seit wenigen Jahren, dafür mit um so größerem Einsatz. Nach 20 dem Frühsport höre ich Platten oder spiele selbst auf der Geige, danach geht's an die Arbeit. Ein idealer Arbeitstag war, wenn ich bis Mitternacht so wenig wie möglich in meinem Zimmer gestört worden bin. Das war nicht immer so, aber in den letzten Jahren ist das Bedürfnis nach 25 Umgang mit Menschen zurückgegangen zugunsten des Bedürfnisses nach Umgang mit der Arbeit, und das heißt bei einer Romanarbeit ja auch Umgang mit Menschen, mit fiktiven freilich.

Dieser Trott, den ich mitunter so liebe, wird natürlich 30 unterbrochen durch berufsbedingte Reisen, vor allem in die BRD, durch Vortragsreisen ins Ausland, durch längere Auslandsaufenthalte und Urlaube. Das alles kann anregend sein, steht aber in keinem direkten Verhältnis zu meiner Arbeit. 35

Beruflich kenne ich übrigens – mit Ausnahme von Ferialarbeit[1] als Schüler – nichts anderes als die Schriftstel-

---

[1] österr. Umgangssprache: Ferienarbeit

lerei, ich habe schon als Student publiziert und nach dem
Studium eben als Schriftsteller gearbeitet. Was Arbeiter
sind, was Arbeitswelt ist, war für mich von Kindheit an
selbstverständlich, ich brauchte das nie als für mich fremde
5 Welt zu entdecken, der konkrete, wirkliche Kontakt zu
dieser Welt ist im Laufe der Jahre jedoch immer loser
geworden. Wenn ich mich immer wieder einmal mit der
Arbeitswelt oder mit dem Arbeitermilieu literarisch
beschäftigt habe, so war das stets auch eine Beschäftigung
10 mit meiner eigenen Geschichte und nicht mit einer literarischen Mode. Ich hielte es freilich für eine Lebenslüge, das
Milieu, in dem ich jetzt lebe, zu verleugnen zugunsten
jenes Milieus, aus dem ich stamme, denn die besten
Bekanntschaften und Gespräche hat man ja letztlich doch
15 mit den Leuten, die in einer ähnlichen Lebens-, Arbeits-
und Gedankensituation sind wie man selbst.

Michael Scharang hat zahlreiche Hörspiele, Essays und
Erzählungen geschrieben. Zwei Romane, „Charly Traktor"
(Neuwied: Luchterhand 1973) und „Der Sohn eines Land-
20 *arbeiters" (Neuwied: Luchterhand 1976), ein Roman, der*
1975 verfilmt und auch im Deutschen Fernsehen gesendet
wurde, gehören zum bisherigen Schaffen des Autors. Immer
wieder sucht er die Nähe der Arbeitswelt, spürt den Proble-
men der einfachen arbeitenden Menschen am Arbeitsplatz,
25 *in der Gesellschaft und im Privatleben nach.*
Von DDR-Schriftstellern weiß man, daß sie Betriebe
aufsuchen, teilweise aktiv am Arbeitsprozeß mitwirken. Wie
sammelt Michael Scharang seine Erfahrungen, die er in
seinen Texten umsetzt?

30 Wie ich meine Erfahrungen sammle?
Ich habe was gegen's Sammeln, ich fand das immer
komisch, wenn jemand etwas sammelt, auch wenn er
bewußt Erfahrungen sammelt. Ich glaube, daß die weitaus
wichtigste Erfahrung jedes Menschen das eigene Leben
35 ist. Geplant Erfahrungen machen, um darüber zu schreiben, ist wichtig für den Journalisten, sekundär für den
Schriftsteller; ich sage sekundär, nicht unnotwendig.
Stellt der Schriftsteller das in den Vordergrund, entsteht

6

nicht Literatur, sondern literarisch aufgemotzter Journalismus.

Die dialektische Wechselbeziehung von Literatur und Gesellschaft gehört zum zentralen ästhetischen Gestaltungsprinzip der sozialistisch-realistischen Schreibweise in der 5 *DDR. Michael Scharang ist Mitglied der KPÖ gewesen. Auch er fühlt sich literarisch der gesellschaftlichen Basis, der Abeitswelt und den Problemen der breiten Bevölkerungsschichten verbunden, vielleicht sogar verpflichtet. Wie faßt er das Realitätsproblem in seinen Texten? Glaubt er an eine* 10 *pädagogische Funktion der Literatur?*

Das Realitätsproblem in meinen Texten?

Seit altersher unterscheiden die Menschen zwischen der Wirklichkeit, wie sie gerade ist, und einer Wirklichkeit, wie sie anders sein könnte, besser sein sollte. Ich halte es nicht 15 anders. Nur ist das für einen Schriftsteller nicht nur ein theoretisches bzw. philosophisches Problem, sondern auch ein ästhetisches. Die platt-verständliche künstlerische Gestaltung, wie ich sie mitunter selbst betrieben habe, kann sicher nicht das letzte Ziel sein, gewiß auch nicht die 20 platt-unverständliche Gestaltung.

Ob ich an eine pädagogische Funktion der Literatur glaube?

Meine ehrliche Ausrede: ich glaube eigentlich nur an die Literatur. Wenn die Literatur auch noch eine Funktion hat, 25 ist es gut, wenn nicht, kann man auch nichts machen. Ich vermute, man kann das immer erst im nachhinein sagen, nie von vornherein. Außerdem kann ein riesiger Unterschied bestehen zwischen dem, was ein Autor bewirken möchte, und dem, was sein Werk tatsächlich bewirkt. 30 Denn unabhängig von der Absicht des Autors muß ein Kunstwerk erst einmal gelingen. Ein mißlungenes oder schlechtes Kunstwerk kann durchaus für einige Zeit eine positive Wirkung haben – dennoch bin ich einer solchen Wirkung gegenüber skeptisch. 35

Die Theorie versucht meiner Meinung nach, der Wahrheit in begrifflicher Weise nahezukommen, die Kunst versucht, der Wahrheit in sinnlicher Weise nahezukom-

men. Wenn das stimmt, so ist die wichtigste Funktion der Kunst eine Erkenntnisfunktion. Insofern steckt sicher auch eine pädagogische Funktion in der Literatur. Ich würde aber diese Funktion nicht sonderlich hervorkehren – ange-
5 sichts meines ein wenig gebrochenen Verhältnisses zur Pädagogik. Von Kindheit an hat mich immer das am meisten interessiert, was ich nicht gleich auf Anhieb verstanden habe. Und mich hat es immer tief befriedigt, wenn ich selbst zu einem Verständnis des ursprünglich
10 Nicht-Verstandenen gefunden habe.

Das gängige pädagogische Verhalten, schwer Verständliches verständlich zu servieren, hat mich immer gelangweilt, vor allem seit ich dahintergekommen bin, daß dieses Verständlichmachen gepaart ist mit ungebührlicher Ver-
15 einfachung. Eine pädagogische Funktion in diesem Sinn kann gute Literatur sicher nicht haben.

Der „Beruf des Vaters" ist ein Hörspiel aus der Welt der Arbeiter. Welche Vorarbeiten waren für dieses Hörspiel nötig?

20 Spezielle Vorarbeiten für den „Beruf des Vaters" waren nicht notwendig, da ich in dem Milieu, in dem das Hörspiel spielt, aufgewachsen bin, und das Problem des Schülers auch mein Problem war. Die ganze Geschichte ist nur scheinbar erfunden, in Wirklichkeit erzählt sie von meinen
25 unerfüllten jugendlichen Wünschen und Sehnsüchten – die ich mir dann später wenigstens literarisch erfüllt habe.

Die literarische Kritik der Bundesrepublik bezieht sich fast ausschließlich auf „Charly Traktor" und den „Sohn eines Landarbeiters". Die Hinweise zu den zahlreichen Hörspie-
30 *len des Autors sind weitaus geringer. Bemerkungen über den „Beruf des Vaters" sucht man hierzulande vergeblich. Worin sieht Michael Scharang die Ursachen dafür? Wen will er mit dem „Beruf des Vaters", wen mit seinen Hörspielen in unserer von Film und Fernsehen bestimmten Zeit erreichen?*

35 Im allgemeinen werden Hörspiele durch die literarische Kritik nicht wahrgenommen. Dafür gibt es einige Gründe: Es werden sehr viel mehr Hörspiele gesendet als literari-

sche Bücher publiziert werden. Der Kritiker hat es also leichter, sich am Buchmarkt zu orientieren als am Hörspielmarkt. Dazu kommt, daß der Buchmarkt zum Unterschied vom Hörspielmarkt privatkapitalistisch organisiert ist, hier gibt es also Werbung und werbemäßige Vorinformation speziell für den Kritiker. Mit anderen Worten: am Buchmarkt geht es um Geld, um Verlagsprofite. Und wenn der Kritiker hier mitmischen kann, kommt er sich einfach gesellschaftlich wichtiger vor. Ein Bestseller bringt Millionen in Umlauf, ein erfolgreiches Hörspiel bringt dem Autor ein Wiederholungshonorar von einigen Tausend Mark.

Es stimmt nicht, daß es keine Bemerkungen über den „Beruf des Vaters" in der BRD gibt. Es wurden einige Rezensionen geschrieben, wenn ich mich richtig erinnere sogar eine in der F.A.Z. Ich glaube, daß ein Kritiker auch deshalb lieber über Bücher schreibt, weil er hier etwas vor sich hat, wofür der Autor voll verantwortlich ist. Beim Hörspiel gibt es bereits die Differenz zwischen Text und Realisierung. Zum Unterschied von einer Theateruraufführung wird der Kritiker vor einer Hörspieluraufführung nicht mit dem Text versorgt, er kann also literarische Vorlage und Inszenierung nicht gesondert betrachten und beurteilen.

Wie jeder weiß, ist der Hörfunk insgesamt vorübergehend von dem jüngeren Medium Fernsehen in den Hintergrund gedrängt worden, deshalb auch das zeitweise Verkümmern der Hörfunkkritik. Daß aber unsere Zeit schlechthin vom Fernsehen bestimmt wird, ist nur scheinbar richtig. Ich habe das Fernsehen ja auch überschätzt und in den vergangenen Jahren Drehbücher für Fernsehfilme geschrieben und keine Hörspiele. Gewiß, man erreicht übers Fernsehen mehr Menschen. Man sollte das aber wirklich nur quantitativ sehen, nicht qualitativ. Leute, die ein Programm nach dem andern konsumieren, nehmen alles nur mehr nebenher auf. Ich glaube, daß man mit einem Buch, das 5000 Menschen wirklich lesen, mehr Wirkung erzielt als mit einem Fernsehfilm, den 5 Millionen sehen.

Der „Beruf des Vaters" ist in der Ursendung des Süddeutschen Rundfunks vom 1. 5. 1975 in Wiener Mundart ausgestrahlt worden. Verwendet Michael Scharang den Dialekt als literarischen Gag, um seine Zuhörer zu fesseln oder will er so auf spezielle Probleme der österreichischen Gesellschaft aufmerksam machen? Sind es wirklich spezielle Fragen einer Gesellschaft, die er aufwirft?

Eine Klarstellung: Der „Beruf des Vaters" wurde nicht in Wiener Mundart gesprochen, sondern in österreichischer Umgangssprache. Diese Umgangssprache ist eine Kunstsprache, die insbesondere vom Wiener Volkstheater entwickelt wurde, bei Nestroy eine Blüte erreichte und über Horváth bis heute in Abwandlungen verwendet wird. Sie hat Anklänge ans Wienerische, mit dem Wiener Dialekt hat sie aber so wenig zu tun wie das Burgtheaterdeutsch. Also nochmals: Dieses Hörspiel wurde weder im Dialekt geschrieben noch gesprochen. Deshalb kann von einer lokalen Einschränkung der Problematik keine Rede sein. Ich nehme sprachlich nur das Kolorit der Gegend auf, in welcher die Geschichte spielt. Das ist eine realistische Notwendigkeit.

2. Worum geht es?

Ein mißglückter Klassenaufsatz dient als Aufmacher. Aber es geht um mehr: die Arbeitswelt, die den Menschen prägt. Vater Stocker steht mit seinen beruflichen und privaten Problemen stellvertretend für viele Arbeiterkollegen.   5

Der BERUF DES VATERS ist die zentrale Schaltstelle dieses Hörspiels. Um sie gruppieren sich die Wohnprobleme der Stockers, die Erlebnisse, Wünsche, Probleme des jungen Fred und seiner Freundin Gerti. Unmerklich aber unwiderstehlich wird der Hörer in die Szene einbezo-   10 gen, nimmt er Anteil an den Gedanken, Hoffnungen, Nöten dieser beiden jungen Menschen aus so unterschiedlichen Gesellschaftsschichten.

Der vierzehnjährige Arbeitersohn Fred Stocker verliebt sich in die gleichaltrige Kaufmannstochter Gerti Steinbrug-   15 ger. Sie haben sich kennengelernt, als Gerti vom Gymnasium zur Hauptschule wechselte. Beide haben sie Probleme: zu Hause und in der Schule. Beide bewundern sie die angeblich größere Freiheit des anderen. Beide haben sie gegen Vorurteile zu kämpfen: gegen die ihrer Umge-   20 bung und gegen die eigenen.

Eine alltägliche Liebesgeschichte also?

Viel mehr. Michael Scharang zeigt Ausschnitte aus dem Lebensalltag aller Beteiligten. In den häuslichen Sorgen der Eltern, den industriellen Arbeitsplatzproblemen, den   25 Sorgen des Schulalltags können die Hörer sich vielfach selbst wiedererkennen.

Warum hat Michael Scharang diese Geschichte nicht *erzählt?* Warum hat er ein *Hörspiel* geschrieben? Vielleicht, weil der Alltag akustisch, über die Geräusche, die   30 Musik, die Stimmen, freudige oder erregte, gelassene und überhebliche, lebensnaher mitgeteilt werden kann.

Aber warum ein *Hörspiel* und kein *Film?*

Hörspiele können auf ganz andere Weise bezaubern und anregen als Filme!   35

11

3. Personen und Handlungsort

FRED STOCKER –   Arbeitersohn und Hauptschüler

GERTI STEINBRUGGER –   Kaufmannstochter, ehemalige Gymnasiastin, jetzige Hauptschülerin

EHEPAAR STOCKER –   Herr Stocker ist Dreher, Facharbeiter in einer Fabrik
Frau Stocker ist halbtags berufstätig

EHEPAAR STEINBRUGGER –   Kaufleute
Herr Steinbrugger betreibt einen Pelzgroßhandel
Frau Steinbrugger leitet eine Handtaschenboutique

HERR LIPP –   Fachlehrer an der Hauptschule

WIDOWITZ –   Betriebsrat in einer Maschinenfabrik, Kollege von Herrn Stocker

INGENIEUR HAAS –   Betriebsleiter in dieser Maschinenfabrik

Ferner:
Turnlehrer, sieben Jungen, vier Mädchen und acht Arbeiter in der betreffenden Maschinenfabrik.

Die Handlung spielt irgendwo in Österreich.

Die Probleme sind auf die Menschen in jeder größeren oder kleineren Stadt in der Bundesrepublik Deutschland übertragbar. Es sind Probleme, die überall auftreten, wo Arbeiter wegen Rationalisierungsmaßnahmen um ihren Arbeitsplatz bangen, wo Schüler vom Gymnasium auf die Hauptschule überwechseln, wo Schüler um die Noten in den Abschlußklassen kämpfen, wo Angehörige verschiedener Gesellschaftsschichten miteinander leben und kommunizieren.

4. Das Hörspiel realisieren

Vor allem wenn man die Hörspielkassette nicht zur Hand hat, sollte man – wenigstens einen Teil – des Textes akustisch gestalten.

Einfache Mittel reichen dazu aus. Ein Tonbandgerät oder Kassettenrecorder und ein Mikrofon genügen bereits. Für eine Stereoaufnahme benötigt man ein weiteres Gerät, zwei Mikrofone und nach Möglichkeit einen Plattenspieler.

Die Werkstattgeräusche (der Fabrik) können entweder vor Ort (Besuch in einem Produktionsbetrieb) aufgenommen und später eingespielt oder aber im Werkraum der Schule mit verschiedenen Maschinen und Arbeitsgeräten imitiert werden.

Das Hörspiel ist nach dem Willen des Autors in österreichischer Mundart gesprochen worden. Wer sich das nicht zutraut, kann den Text getrost in seiner eigenen Mundart sprechen. Auch Hochdeutsch ist möglich, aber nicht so wirksam.

Wenn man eine Mundart wählt, so sollte man darauf achten, daß der Text nachher auch noch von jemandem verstanden wird, der diese Mundart nicht so genau kennt. Die typischen österreichischen Ausdrücke (Kabinett, Tachinierer usw.) müßten durch vergleichbare andere ersetzt werden.

Es ist nicht unbedingt notwendig (aber möglich) das ganze Hörspiel zu realisieren. Man kann einzelne „Szenen" herauslösen oder den Originaltext kürzen. Die fehlenden Teile können zusammengefaßt und von einem Sprecher zwischengeschaltet werden.

Was ist *inhaltlich* nötig, um dieses Hörspiel zu realisieren?

Vor allem eine genaue Kenntnis des Textes und eine intensive Diskussion der Persönlichkeitsbilder der handelnden Figuren. Diese sollten untersucht werden nach
– ihrem Charakter,
– ihrer sozialen Herkunft,
– ihrer Art zu sprechen und zu handeln,
– ihrem Auftreten insgesamt und verschiedenen Gesprächspartnern gegenüber.

Regieanweisungen geben zusätzliche Hilfen.

Aus alledem kann man die Persönlichkeit der Sprecher und ihre Art des Sprechens in bestimmten (vom Autor vorgegebenen Situationen) bestimmen:

5 – Stimmlage,
– Redegeschwindigkeit,
– zögerndes, unsicheres oder forsches und selbstbewußtes Sprechen,
– Wechsel der Art des Sprechens beim Rollenwechsel in
10 Beziehung zu verschiedenen Gesprächspartnern
(z. B. Herr Stocker spricht mit
– seinen Arbeitskollegen,
– seinem Sohn Fred,
– dem Betriebsleiter,
15 – seiner Frau,
– Gerti, der Freundin Freds).

Ebenso bedeutsam wie die Art des Sprechens und die Redeweise selbst sind die *Pausen*.

Pausen sind im Hörspiel nicht einfach Stille, in der nichts
20 geschieht. *Pausen* sind eigenständige Mittel des Hörspiels. Sie können Verlegenheit ausdrücken, Spannung erzeugen, Raum zum Denken geben, einen Zeitraum überbrücken, real eine Pause wiedergeben, Ratlosigkeit hörbar machen u. a. m.
25 Es ist zu überlegen, an welchen Textstellen längere oder kürzere Pausen gemacht werden müssen.

Die Sprecher müssen versuchen, sich in die Personen, ihre Art zu Denken, Handeln, Fühlen in bestimmten Situationen, hineinzuversetzen.
30 Art, Einsatz und Wirkung von Geräuschen und Musik (die Regieanweisungen geben auch hier Hinweise – ebenso der Text selbst) sollten vorher festgelegt werden. Musik und Geräusche nimmt man am besten vorher auf ein gesondertes Band auf und spielt sie später an den betref-
35 fenden Stellen ein. Die Wirkung sollte vorher akustisch überprüft werden: Ist das Gemeinte deutlich genug?

Zu beachten ist ferner: Sind *Geräusche* und *Musik* bedeutsamer oder die *Sprache* selbst. Je nachdem sollte das eine oder das andere intensiver hörbar (im Vordergrund) sein.

14

Bei einer stereofonen Aufnahme sind auch die Positionen der einzelnen Sprecher in den verschiedenen Szenen (links – Mitte – rechts / mehr vorn oder mehr hinten, d. h. *nah* am Mikrofon oder *weiter weg*) festzulegen. Die Sprecherpositionen können in den Szenen und von Szene zu Szene wechseln. Am besten probiert man die Nähe oder Ferne des jeweiligen Sprechers vom Mikrofon vorher aus und überprüft die Wirkung des Gehörten mit dem, was man ausdrücken will.

Damit während der Aufnahme keine Mißverständnisse entstehen, sollte man vorher im Text die Rollen der Sprecher, ihre Positionen, die Stimmführung und den Einsatz von Pausen, Geräuschen und Musik genau festlegen.

Eine Konkurrenz zu Profisprechern des Rundfunks kann und soll man nicht anstreben. Es wird also Versprecher geben, unbeabsichtigte Geräusche und auch andere Mängel. Das sollte niemanden stören, am wenigsten die Sprecher selbst.

Eine „trockene" Aufnahme (ohne Mikrofon) kann als Probe vorgeschaltet werden. Die weiteren Proben sollten schon „heiß" sein, d. h., Mikrofon und Aufnahmegerät sind eingeschaltet.

Am ökonomischten ist es, überschaubare Abschnitte aufzunehmen. Nach der Unterbrechung (Pause-Taste drücken, damit es nicht klickt) kann man den aufgenommenen Text überprüfen, kritisieren und – wenn nötig – überspielen.

Es ist durchaus reizvoll, verschiedene Rollen mit unterschiedlichen Sprechern zu besetzen und mehrere Versionen einzelner Hörspielszenen herzustellen. (Die Gruppen bleiben allerdings zusammen: Fred 1 also mit Gerti 1, Fred 2 mit Gerti 2 usw.; ein Wechsel sollte hier die Ausnahme bilden.) Eine solche Austauscharbeit, bei der auch einmal die Rollen wechseln können, sollte jedoch freiwillig am Nachmittag vorgenommen werden. Gleiches gilt für den größten Teil der Aufnahmen überhaupt.

Auch ein Rollenwechsel (Bertolt Brecht schlägt ihn in seinem epischen Theater auch für Schauspieler vor) kann hilfreich sein. Der Sprecher des „Fred" spricht dann den „Gustl" u. dergl. Man sieht die *„eigene Rolle"* einmal aus der Perspektive des anderen Gesprächspartners und entdeckt neue Sprechmöglichkeiten.

5 Das fertige Hörspiel sollte nicht nur Gegenstand eigener Freude (beim Abhören) sein. Vielleicht probiert ihr es in Zusammenarbeit mit dem entsprechenden Fachlehrer einmal in einer Parallelklasse (möglicherweise auch einer anderen Schule) aus?!

5. Der Beruf des Vaters

1

(Wohnung der Familie Stocker, bestehend aus Wohnküche, Wohn-Schlafzimmer und Kabinett[2] (Nebenräume). Das Kabinett steht dem 14jährigen Sohn der Familie, Fred, zur Verfügung.
Fred und sein Schulfreund Gustl sitzen im Kabinett.)

FRED: Sollte der Fernka nicht doch am linken Flügel spielen?

GUSTL: Der Jim hat doch immer Sturmspitze gespielt!

FRED: Dann sag mir wen von unserer Klasse, der ein Flügelspiel aufziehen kann!
(Kurze Pause)

GUSTL: Die Gerti vielleicht. *(ein kurzes Lachen platzt aus ihm heraus.)*

FRED: Der Jim muß auf jeden Fall hinaus auf den linken Flügel. Wir haben voriges Jahr gegen die 3 C nur verloren, weil sich alles auf der rechten Seite abgespielt hat. Da war's für die Verteidigung leicht, unser Spiel abzublocken.

GUSTL: Und wer spielt Sturmspitze?
Du allein?

FRED: Der Kaier.

GUSTL: Der hat sich technisch wirklich verbessert. Aber körperlich ist er zu schwach. Schau, wen die in der Verteidigung haben. Der Höllerl, der trainiert jetzt bei Wacker. Damit haben die gleich drei Vereinsspieler in der Abwehr.

FRED: Dafür ist der Kaier schnell. Der rennt der ganzen Abwehr auf und davon.

GUSTL: Na, wenn schon. Aber sein Schuß!
Der hat ja einen Schuß wie ein Hendl.

---

[2] hier: (österr.) kleines einfenstriges Zimmer

17

FRED: Aber passen kann er.

Wenn er von links in die Mitte paßt – die Torschüsse, die kommen dann schon von mir.

GUSTL: Überhaupt, wenn die Gerti zuschaut.

5   Dann schießt du wieder vier Tore, wie vorige Woche gegen die D-Klasse.

Die Gerti braucht nur zu jedem Match zu kommen, und wir gewinnen heuer das Schulturnier.

FRED: Dann sagst es ihr halt.

10 GUSTL: Wieso ich?

FRED: Du redest ja dauernd von ihr.

GUSTL: Verstell dich nicht so.

FRED: Machen wir jetzt die Aufstellung endlich fertig?!

GUSTL: Aber ja. –

15   Wir spielen also wieder 4 – 3 – 3?

FRED *(ist mit den Gedanken woanders)*: Ja, ja.

GUSTL: Ihr spielt ja bei der Austria auch nach dem System, oder

FRED *(nach einer kurzen Pause)*: Was?

20 GUSTL: Ihr spielt bei der Austria –

FRED: Ja, sicher.

GUSTL: Die vorderen drei haben wir – hast du den Kaier aufgeschrieben? Warum schreibst ihn denn nicht auf? Gib her den Kuli. *(er zieht ein Blatt über den Tisch und*

25 *schreibt)*

FRED: Was machst du denn?

GUSTL: Die vier, die hinten spielen, haben wir doch auch schon. Der Gewessler, der Eichhorn, der Rabl und der Dinauer. *(schreibt)* Und in die Mitte kommen die, die

30   wir halt noch haben.

FRED: Das kannst nicht machen. Da muß man schon überlegen. Wenn die nichts taugen in der Mitte, dann hängen wir vorn in der Luft.

GUSTL: Was ist mit dem Benda?

35 FRED: Den auf jeden Fall.

GUSTL: Und der Hebenstreit?

FRED: Nein.

GUSTL: Der Freiberger.

FRED: Hör auf.

18

GUSTL: Der Resch.

FRED *(ist mit den Gedanken woanders)*: Nein.

GUSTL: Dann bleibt wirklich nur noch die Gerti.

FRED *(wie oben)*: Nein.

GUSTL: Spinnst du? 5

FRED: Was? *(nach kurzem Überlegen)* Also den Benda auf
jeden Fall.

GUSTL: Und warum den Resch nicht?

FRED: Den Resch natürlich auch.
Wenn sich der nur ein bißchen mehr einsetzen würde. 10

GUSTL: Warum sagst du dann: nein?

FRED: Wer sagt nein?

GUSTL: Du bist heut nicht ganz beisammen da oben, kommt
mir vor.

FRED: Fehlen uns noch immer zwei. 15

GUSTL: Warum zwei? Wir haben doch nur drei Mittelfeld-
spieler.

FRED *(bestimmt)*: Den Resch nehmen wir nicht. Den Resch
nicht.

GUSTL: Sag einmal – 20

FRED: Dann noch eher den Hebenstreit.

GUSTL: Fang ja nicht an und misch deine Weibergeschichten in den Fußball. Sonst kriegen wir nie eine ordentliche Mannschaft zusammen.

FRED: Weibergeschichten!? *Meine* Weibergeschichten? 25

GUSTL: Der Resch hat der Gerti die Schultasche zum
Fenster hinausgeworfen und ihr dann eine runtergehaut.

FRED: Die Gerti hat *ihm* eine runtergehaut.

GUSTL: Aber dann hat er ihr eine runtergehaut.

FRED: Na und? 30

GUSTL: Und deshalb willst du ihn nicht in die Mannschaft
nehmen. Wenn du jetzt so anfängst, dann werden wir
dich absetzen als Mannschaftskapitän. – –

FRED: Von mir aus.

GUSTL: Daß dieses Weib in unsere Klasse kommen hat 35
müssen!
(Pause)

FRED: Gustl, hast du gesehen, heute nach der Schule?

GUSTL: Was?

19

FRED: Sind doch eh alle herumgestanden und haben ge-
gafft.

GUSTL: Ich hab noch müssen die Landkarten wegtragen. Ich
bin später rausgekommen.

FRED: Dann ist es ja gut.

GUSTL: Was war? Erzähl.

FRED: Da ist nichts zu erzählen. – – Ein kleiner roter
Sportwagen, der ist vor unserer Schule gestanden, und
sie ist eingestiegen. Sonst nichts.

GUSTL: Die Gerti?

FRED: Nur, damit du siehst, daß ich überhaupt nichts mit
der hab.

(Pause)

GUSTL: Das kann ja ihr Vater gewesen sein oder ein
Verwandter.

FRED: Nein.

GUSTL: Wenn er Auto fahrt, muß er ja mindestens 18
gewesen sein.

FRED: War er auch.

GUSTL: Glaubst du, daß sie einen Freund hat, der so viel
älter ist?

FRED: Sie ist ja schon 15. Sie ist ein Jahr älter als wir.

GUSTL: Ist sie also sitzengeblieben auch, bevor sie rausgeschmissen wurde aus der Mittelschule.

FRED: Sie ist nicht rausgeschmissen worden.

GUSTL: Sicher ist sie rausgeschmissen worden. Weil sie mit
einer durchsichtigen Bluse gegangen ist und ohne BH.

FRED: Wer hat dir den Blödsinn erzählt?

GUSTL: Das weiß doch jeder.

FRED: Das hättet ihr gern. – Da sieht man wieder, was ihr
für Deppen seid.

GUSTL: Na, wegen was dann? Du mußt es ja wissen.

FRED: Schlechte Noten hat sie gehabt.

GUSTL: Zu blöd war sie. Wie ich gesagt hab. Aber ins
Gymnasium hat sie gehen müssen, das ist klar. Weil sie
ist ja was Besseres. Daß du dich mit so was abgibst.

FRED: Die ist nichts Besseres. Wenn du mit der einmal
redest – die ist so wie wir.

GUSTL: Wie du vielleicht.

FRED: Du willst also einen Streit.

GUSTL: Mit dir kann man über das nicht reden.

FRED: Das haben wir ja auch nicht wollen.

GUSTL: Also – *(Pause)* – was schlägst du vor als Taktik für das Match gegen die C-Klasse? 5

2

(Herr Stocker kommt von der Arbeit nach Hause. Er schließt die Tür auf, geht ins Vorzimmer.
Frau Stocker ist in der Küche mit Kochen beschäftigt.)[3]

HERR STOCKER: Grüß dich. 10

FRAU STOCKER: Servus.
   (Herr Stocker legt Mantel usw. ab, Frau Stocker arbeitet in der Küche weiter.)

HERR STOCKER: Was gibt's heute?

FRAU STOCKER: Einen Leberkäs back ich heraus – und 15
   Erdäpfelpüree[4].
   (Herr Stocker geht ins Badezimmer und wäscht sich. Seine Frau geht ihm bis zur Tür des Badezimmers nach.

FRAU STOCKER: Ich hab heute wieder so Kreuzweh gehabt
   bei der Arbeit. Ich geh morgen zum Doktor. 20

HERR STOCKER: Hörst früher auf?

FRAU STOCKER: Ja. Sonst sitz ich um die Zeit noch in der
   Ordination[5], wo ihr essen wollt.

HERR STOCKER *(bläst den Schmutz aus der Nase)*: Ich hab
   immer gesagt, geh weg aus dem Versand. 25

FRAU STOCKER: Früher war es ja noch zum Aushalten.

HERR STOCKER: Und heute ist es zu spät.

FRAU STOCKER: Ja.

HERR STOCKER: Weiß man schon was Genaues?

FRAU STOCKER: Verlautbart ist worden: bis nächsten Juli 30
   sollen die Halben entlassen werden.

HERR STOCKER: Da bist du sicher dabei.

---

[3] vgl. zum Abschnitt 2, Mat. 7.9

[4] (mundartl.) Kartoffelpüree

[5] Sprechzimmer eines Arztes

FRAU STOCKER: Da bin ich nicht dabei. Ich hab gefragt. Ich kann's schriftlich haben, hat der Chef gesagt.

HERR STOCKER: Der weiß schon, daß er nicht so schnell jemand kriegt, der arbeitet, bis ihm das Kreuz abreißt.

FRAU STOCKER: Davon wird's nicht besser, daß du dich lustig machst.

HERR STOCKER: Ich mach mich nicht lustig. Kann ich was helfen in der Küche?

FRAU STOCKER: Nein, nein.

HERR STOCKER: Aber geh, leg dich ein bißchen hin, ich schäl die Erdäpfel.

FRAU STOCKER: Die sind schon geschält.

HERR STOCKER: Wo ist der Fred?

FRAU STOCKER: In seinem Zimmer. Der Gustl ist da. Sie lernen Englisch.

HERR STOCKER: Ist Schularbeit[6]?

FRAU STOCKER: Morgen.

HERR STOCKER: Die gehen's aber schnell an heuer.

FRAU STOCKER: Und Dienstag ist Deutsch.

HERR STOCKER: Dann soll er üben übers Wochenende und nicht immer Fußball spielen.

FRAU STOCKER: Da misch ich mich nicht drein.

HERR STOCKER: Was heißt! Das ist das letzte Schuljahr, und du weißt, was auf dem Spiel steht. Ein schlechtes Zeugnis und er wird nicht einmal zur Aufnahmeprüfung zugelassen[7].

FRAU STOCKER: Und wenn er nicht in die technische Anstalt kommt, wird die Welt auch nicht einstürzen.

HERR STOCKER: Sei froh, wenn er dort hin will. Und ich will's auch.

FRAU STOCKER: Dann muß er sich eben anstrengen. Ich werd mich nicht jeden Tag herumärgern nach der Arbeit.

HERR STOCKER: Der ist doch noch ein Kind, der kann ja nicht abschätzen, was auf dem Spiel steht.

FRAU STOCKER: Er ist 14 Jahr.

---

[6] Klassenarbeit
[7] zu diesem Problemkomplex vgl. Mat. 7.9

HERR STOCKER: Du kannst das wahrscheinlich auch nicht abschätzen.

FRAU STOCKER: Übertreib nicht so. Bist du vielleicht schlecht dran in deinem Beruf? Und hast auch keine *(spöttelnd)* Höhere Technische Lehranstalt. 5

HERR STOCKER: Du hast ja keine Ahnung. Ich, und gut dran. Wenn ich einmal erzählen tät, was bei uns los ist, da würden dir die Augen übergehen. Was man sich alles gefallen lassen muß heutzutag.

FRAU STOCKER: Glaubst, uns fassen's wohl mit Glacéhand- 10 schuh[8] an?

HERR STOCKER: Die letzten Wochen, meine Liebe. Seit der neue Betriebsleiter da ist.

FRAU STOCKER: Den habt ihr ja wollen, den Hawlicek.

HERR STOCKER: Den Hawlicek. 15
Es ist aber nicht der Hawlicek. Was weißt denn du, was sich da abgespielt hat. Und was sich da noch abspielen wird. Die Hochkonjunktur ist vorbei, verstehst. Jetzt kommt das Zuckerbrot wieder in die Schachtel, mit dem sie immer gekommen sind, wenn's nicht mehr aus und 20 ein gewußt haben vor lauter Aufträge. ‚Machen'S doch noch eine Überstunde und noch eine, und kommen'S doch bitte am Samstag, für fünf Stunden, wenigstens, und ging's nicht bitte auch am Sonntag, nur vormittag ein paar Stunden.‘ Jetzt packen sie die Peitsche wieder 25 aus.

FRAU STOCKER: Kann schon sein. – – Du erzählst ja nichts.

HERR STOCKER: Sei froh, wenn du nicht alles weißt. Schlafst ruhiger.
(Pause) 30
(Die Erdäpfel[9] kochen. Der Deckel springt auf und ab)

HERR STOCKER: Die Erdäpfel stinken. Kann man nicht das Fenster aufmachen?

FRAU STOCKER: Ich hab's nicht aufgemacht wegen meinem Kreuz. 35

HERR STOCKER: Dann laß zu. Stinkt's halt.

---

[8] glänzende Handschuhe aus feinem Gewebe
[9] (mundartl.) Kartoffeln

(Herr Stocker geht aus der Küche. Er geht ins Kabinett.)
GUSTL: Guten Tag, Herr Stocker.
HERR STOCKER: Grüß euch. Was habt ihr da?
FRED: Nichts.
5 HERR STOCKER: Zeig her. – Ich hab geglaubt, ihr lernt
Englisch.
GUSTL: Haben wir schon.
HERR STOCKER: Wer's glaubt, wird selig.
GUSTL: *(lacht)*
10 HERR STOCKER: Das find ich gar nicht lustig. Geh jetzt,
Gustl. Und in Zukunft wird allein gelernt. Der Fred
braucht ein ordentliches Zeugnis. – Na, lern nur schön
flott weiter!
GUSTL: Sie dürfen nicht glauben, daß wir –
15 HERR STOCKER: Das brauchst du mir nicht erklären, was ihr
da gemacht habt. Das seh ich ja.
FRED: Laß ihn, Gustl.
GUSTL: Auf Wiederschauen.
FRED: Servus.
20 *(Gustl geht)*
HERR STOCKER *(schreit)*: Laß ihn? Wen soll er lassen?
*(er zerreißt den Zettel, auf den die beiden Buben die
Mannschaftsaufstellung geschrieben haben.)* Schmeiß das
in den Mistkübel! –
25 FRED *(tut es)*: Damit tust du mir nichts an. Ich hab die
Aufstellung im Kopf.
HERR STOCKER *(schreit, aber nicht mehr so spontan wie
oben)*: Das ist das einzige, was du im Kopf hast. Und
damit du es weißt: Mit dem Fußball ist jetzt Schluß.
30 Solang bis ich ordentliche Leistungen seh in der Schul.

3

(In der Schule. Klassenzimmer. Pause. Ziemlicher Wirbel.)
1. BUB: Wo ist der Schwamm?
2. BUB: Der ist schon seit vorgestern hin.
35 FRED: Dann nehmen wir den Tafelfetzen.
3. BUB: Ja, schmeiß her. – Pfui Teufel, der staubt.

24

(Lachen)

GUSTL: Zu mir.

2. BUB: Gustl, schmeiß ihn zu mir.

4. BUB: Komm, zu mir.

FRED: Schmeiß her. 5

1. BUB: Fred, zu mir.

3. BUB: Zu mir, Fred.

(Mädchen kreischen auf)

1. MÄDCHEN: Bravo, Gerti.

FRED: Gib her den Fetzen. 10

(Pausenzeichen. Ende der Pause.)

2. MÄDCHEN: Nicht hergeben, Gerti.

FRED: Na, wird's.

3. MÄDCHEN: Wirf ihn zu mir.

GUSTL: Trau dich. 15

FRED: Wirf ihn doch. Auf was wartest denn?

GERTI: Ich wart, daß du ihn dir holst.

GUSTL: Das ist unser Fetzen. Gib her.

2. MÄDCHEN: Das ist das Tafeltuch, das gehört niemand.

GUSTL: Das werden wir gleich sehen. 20

(Gerti schnalzt ihm mit dem Tuch ins Gesicht)
Au! Wart, du Kanaille!

4. MÄDCHEN *(ruft von der Klassentüre her):* Der Lipp!

2. BUB: Vorsicht, der Lipp!

3. BUB *(leise):* Du bist ein Feigling, Fred. Warum hast ihr 25
nicht eine gegeben.

LIPP: Bitte setzen. – – Da liegt das Tafeltuch. Hebt es auf. –
Mag niemand?
(ironisch[10]) Das Fräulein Gerti sitzt am nächsten; aber
der Fred ist ein Kavalier und wird ihr die Arbeit 30
abnehmen.
(Schüler lachen)
(scharf) Jetzt aber schnell. *(Fred gehorcht)*
(normal) Euer Klassenvorstand[11] hat euch sicher schon
erklärt, welche Bedeutung die letzte Klasse für euch hat. 35
Es wird allerhand an Berufsvorbereitung geben, und da

---

[10] spöttisch
[11] (österreich.) Klassenlehrer

werden wir hin und wieder auch den Deutschunterricht darauf abstellen. Im ersten Halbjahr werden wir uns ganz allgemein mit dem beschäftigen, was man die Arbeitswelt nennt, im zweiten Halbjahr möchte ich dann auf die Vorstellungen jedes einzelnen von euch eingehen, die er von seiner zukünftigen Stellung in der Arbeitswelt hat.

Fred, gib das her. – Was ist das?

FRED: Die Aufstellung von der Klassenmannschaft.

LIPP: Wer ist der beste Fußballer von euch?

5. BUB: Der Gustl.

6. BUB: Nein, der Fred.

GUSTL: Ja, der Fred.

7. BUB: Der Jim ist besser.

GERTI: Der Fred hat vier Tore geschossen gegen die B-Klasse.

LIPP: Du interessierst dich auch für Fußball?

GERTI: Nein.

LIPP: Willst du Fußballer werden? Fred!

FRED: Nein. – Das heißt, ich möcht schon, aber ich darf nicht.

LIPP: Dann wird's vielleicht doch besser sein, wenn du zuhörst, was wir da reden.

4

(Betrieb. Dreherei. Maschinen laufen leer, nur an einer wird gearbeitet.)[12]

1. ARBEITER: Kommt her alle. Der Meister ist rübergegangen ins Konstruktionsbüro[13], der kommt vor einer Stunde nicht.

2. ARBEITER: Stocker, stell ab!
(Stocker reagiert nicht)

3. ARBEITER: Hol den Widowitz.

---

[12] zu diesem Problemkomplex vgl. Mat. 7.5, 7.6, 7.7
[13] hier: technische Abteilung der Fabrik, die die Zeichnungen für die Maschinenteile entwirft

2. ARBEITER: Für was?

3. ARBEITER: Damit wir einen Betriebsrat[14] dabei haben.

1. ARBEITER: Brauchen wir den?

3. ARBEITER: Das werden wir dann schon sehen.

4. ARBEITER: Das ist eine Sache von uns. Da brauchen wir niemand.

3. ARBEITER: Hau nicht so auf den Tisch.

2. ARBEITER: Ich hol ihn.

3. ARBEITER: Der Stocker soll endlich abstellen. Man versteht sein eigenes Wort nicht.

5. ARBEITER *(schreit)*: Brauchst eine Extraeinladung!?
(Stocker stellt seine Maschine auf Leerlauf)

6. ARBEITER: Endlich!

STOCKER *(geht auf die Gruppe zu)*: Ich sag euch, das führt zu nichts.

1. ARBEITER: Das führt schon zu was. Du willst dich nur drücken.

1. ARBEITER: Kannst es ja ehrlich sagen.

4. ARBEITER: Ist besser, als du fällst uns in den Rücken.

STOCKER: Du weißt ja gar nicht, was du redest. Wenn mir das einer sagt, den ich ernst nehm – na, dankschön, der könnt was erleben.

7. ARBEITER: Was erleben? Von dir?

3. ARBEITER: Hört auf! Schau, Stocker, wir wissen alle, du hast nicht viel Interesse an unserer Protestaktion[15].

8. ARBEITER: Was? Protestaktion? Davon hat mir ja noch gar niemand was gesagt!

1. ARBEITER: Wirst es schon noch hören. Was glaubst, für was wir uns da jetzt treffen.

STOCKER: Wie kannst du von vornherein sagen, daß ich kein Interesse hab?

3. ARBEITER: Machen wir uns nichts vor, Stocker. Du hast da eine Art Monopol[16]. Du hast deine Spezialmaschin, auf der arbeitest seit 15 Jahr und auf der bist du ein

---

[14] gewählte Vertreter der Belegschaft eines Betriebes

[15] Versammlung oder Schreiben, um Kritik (hier: an der Betriebsführung) vorzutragen und Verbesserungsvorschläge zu unterbreiten

[16] hier: Einzelstellung, unersetzbarer Posten

Kaiser. Und ohne den Arbeitsvorgang von dir können
die anderen nichts machen. Also du bist sicher nicht
dabei, wenn's ans Entlassen geht.

STOCKER: Ach so, ich hab geglaubt, es geht um den Lohn.
Hat es nicht geheißen, unsere Abteilung will innerbe-
trieblich was rausholen?

4. ARBEITER: Der Widowitz.

(Widowitz und 2. Arbeiter kommen.)

7. ARBEITER: Also raus mit der Sprach, Widowitz. Ihr
Betriebsräte steckt eh immer zusammen mit denen von
oben. Wie stehn die Aktien?

WIDOWITZ: Für dich ganz gut. Weil blöd-durch-die-Gegend-
schreien ist jetzt sehr gefragt.

(Einige lachen)

3. ARBEITER: Dafür haben wir dich nicht geholt. Streit gibt's
ohne dich auch genug.

WIDOWITZ: Ist schon recht. Ich bin schon informiert. Ich
möcht euch nur sagen: ihr spielt mit dem Feuer.

3. ARBEITER: Wenn du nichts –

WIDOWITZ: Laß mich ausreden.

3. ARBEITER: Nur das eine möcht ich klarstellen: Vor einem
halben Jahr hat die Firma eine Belegschaft gehabt von
670 Mann. 250 sind entlassen worden. Das ist mehr als
ein Drittel. In unserem Betrieb sind erst fünf entlassen
worden. Wir sind noch immer 42. Und es heißt, wir sind
um zehn zu viel. Wir sollen auch um ein Drittel
verringert werden. Nur ist es halt so, daß die 42, die
noch da sind, ob das nun Facharbeiter oder Hilfsarbeiter
sind, die möchten da bleiben!
Oder jedenfalls, daß einem klares Wasser eingeschenkt
wird! Aber so wie das jetzt ist, diese Unsicherheit,
das ist kein Zustand. Wir möchten Klarheit, darum
geht's.

WIDOWITZ: Und wenn ihr die Klarheit habt?

3. ARBEITER: Dann werden wir das weitere beschließen.

WIDOWITZ: Beschließen?!

2. ARBEITER: Jawohl, beschließen. So wie wir ja auch
beschlossen haben, daß uns gesagt werden muß, wie wir
dran sind.

WIDOWITZ: Und wenn man euch anlügt? Wenn man mich anlügt, warum sollte man euch nicht anlügen?

4. ARBEITER: Bist selber schuld, wenn du dir das gefallen läßt.

WIDOWITZ: Dann kann ich ja wieder gehen. Und ihr dürft nicht glauben, daß ich noch einmal so blöd bin und für den Betriebsrat kandidier.

7. ARBEITER: Feiger Hund.

(Unruhe.)

WIDOWITZ *(laut)*: Einen Moment. *(normal)* Ich möcht euch noch was sagen: Für euch steht fest, daß der Betriebsrat[17] euch hintergangen hat und mit dem Unternehmer gemeinsame Sache macht. Wie schaut das wirklich aus?

1. ARBEITER: Das hast uns schon tausendmal erzählt.

3. ARBEITER: Laß ihn. Vielleicht erfindet er heut eine neue Ausrede.

WIDOWITZ: Dann leckts mich am Arsch!

STOCKER: Renn nicht weg, Wido! Red fertig.

4. ARBEITER: Also red! Wenn sich sogar der Stocker dafür interessiert!

STOCKER: Mir hat er's schon erzählt. Und ich hab's auch gleich beim ersten Mal verstanden. Für dich muß man das wahrscheinlich öfter erzählen.

3. ARBEITER: Ich bin dafür, daß wir die Versammlung verschieben.

STOCKER: Das ist wieder typisch. Da fahrt euch was durch den Schädel, und wenn's nicht gleich klappt, dann haut ihr alles hin.

4. ARBEITER: Und warum? Wegen solche Leut wie dir.

STOCKER: Genau darum, du Aff. Du weißt ja gar nicht, um was es geht. Dem Betriebsrat ist schon vor einem Jahr von der Direktion gesagt worden, daß die Firma wenig Aufträge hat. Was willst du dagegen sagen, das kann man ja nicht überprüfen. Wir machen Getriebe. Die Direktion hat gesagt, ihr seht ja, die Fahrzeugindustrie steckt in einer Krise. Da werden wir mit hineingezogen. So hat es uns der Betriebsrat berichtet: Von

---

[17] zu diesem Problemkomplex vgl. Mat. 7.5

Fahrzeugindustrie war die Rede, wenn ihr euch erinnern könnt.

Damit hätten sie uns einreden wollen, daß das alles zusammenhängt, Autos, Schieberaupen, Zugmaschinen.

5 Aber wir machen keine Getriebe für Autos, wir machen welche für schwere Zugmaschinen. Gut, keine Aufträge, hat es geheißen, also weg mit einem Drittel der Arbeiter.

Und was ist inzwischen passiert? Die Leut sind weg, und
10 die Produktion ist erhöht worden. Wir haben in den letzten Monaten mehr Arbeit gehabt als früher. 10, 15 Leut könnten wir allein in unserer Werkstatt zusätzlich brauchen. So was nennt man Rationalisierung[18].

Und auf das haben sie ja nur gewartet, bis die Leut
15 wieder Angst haben, daß sie ihren Arbeitsplatz verlieren.

ING. HAAS (im Hintergrund): Soweit mir bekannt ist, sind Sie als Dreher hier beschäftigt und nicht als Volksredner.

20 Wo ist der Meister?

3. ARBEITER: Der ist im Konstruktionsbüro.

ING. HAAS (noch schärfer als vorhin): Und wenn der Meister nicht hinter ihnen steht, dann arbeiten Sie ganz einfach nicht. Ist das so, Herr Stocker?

25 STOCKER: Meinen Sie mich?

ING. HAAS: Gehören Sie vielleicht auch zu denen, die glauben, sie hätten den Arbeitsplatz geerbt und nun brauchen Sie nichts mehr leisten?

STOCKER: Das ist eine Versammlung, Herr Betriebsleiter.

30 ING. HAAS (gespielt ironisch): Eine Versammlung?

WIDOWITZ: Jawohl, eine Versammlung ist das, Herr Ingenieur.

ING. HAAS (wie oben): Ja, natürlich, was denn sonst, wenn sogar der Herr Betriebsrat da ist. (brüllt) Was bilden Sie
35 sich eigentlich ein?!

---

[18] Vereinfachung, Mechanisierung im Betrieb, Einführung von elektronischen Maschinen; dient der Vereinfachung des Arbeitsvorgangs, der Arbeitserleichterung und verbilligt die Produktion, ist aber meist mit Entlassungen von Arbeitskräften verbunden

ING. HAAS: In der Arbeitszeit gibt es keine Versammlung. Was Sie hier machen, das ist Tachiniererei[19], das ist Arbeitsverweigerung. Wenn Sie plötzlich entlassen sind, brauchen Sie sich nicht wundern.

(laut und zynisch[20]) Sie sehen ja selber: es gibt viel zu 5 viele hier, die nur herumstehen und nichts tun.

5

(Unterrichtsschluß. Schüler kommen aus der Schule.)[21]

1. BUB: Gehst du nicht heim?
2. BUB: Ich wart noch. Der Gustl wird mit der Gerti 10 abrechnen, weil sie ihm mit dem Tafelfetzen ins Gesicht geschnalzt hat.
1. BUB: Mit der Gerti? Die ist ja gar nicht mehr da.
FRED: Ich find das ganz einfach blöd, auf ein Weib loszugehen. 15
GUSTL: Du kannst dir ja von ihr gefallenlassen was du willst.
2. BUB: Gustl, die Gerti ist schon weg.
GUSTL: Wohin ist sie?
2. BUB *(zum 1. Bub)*: Weißt du, wo sie hin ist?
1. BUB: Da runter. 20
FRED: Wohin?
1. BUB: Da runter die Märzstraße.
   (Fred rennt weg)
GUSTL: Fred, wo rennst denn hin?
2. BUB: Der spinnt total. 25
GUSTL: Das kann man sagen.
   (Fred läuft, bis er Gerti eingeholt hat. Nun geht er neben ihr.)
FRED: Seit wann gehst du da nach Haus?
GERTI: Kann ich nicht gehen, wo ich will? 30
FRED: Sicher.
   (Pause)

---

[19] (mundartl. österreichisch) Tagdieberei, Faulenzerei
[20] gemein, spöttisch, beleidigend
[21] zu diesem Problemkomplex vgl. Mat. 7.3, 7.4, 7.8

FRED: Du hättest brauchen nicht so schnell wegrennen von
der Schule.

GERTI: Weil du hättest mir geholfen gegen den Gustl und
die anderen.

5 FRED: Ja.

GUSTL: Daß ich nicht lach. Der Gustl ist doch dein bester
Freund.

FRED: Trotzdem.

GERTI: Und heut in der Klasse?

10 FRED: Das war was anderes. – Da hast **du** dich dreinge-
mischt.

GERTI: Laß mich allein. Mit dir red ich nichts mehr.

FRED: Was hab ich dir denn getan?

GERTI: Das ist ja schon so wie bei uns daheim: Da gibt's
15 Sachen, da hat nur der Vater was zu sagen, da darf sich
die Mutter nicht dreinmischen und niemand.

FRED: Ich hab's nicht so gemeint.

GERTI: Das ist mir wurscht.

(Pause)

20 FRED: Mir ist eh alles klar.

GERTI: Dann ist es ja gut.

FRED: Du hast einen Freund. Ich hab's gesehn.

GERTI: Einen Freund? Daß ich nicht lach.

FRED: Du sagst schon wieder: daß ich nicht lach.

25 GERTI: Es ist ja so.

FRED: Freilich ist es so: du hast einen Freund. Das hättest
gleich sagen können.

GERTI: Willst du mir schon wieder vorschreiben, was ich tun
soll?

30 FRED: Ich hab dir nie was vorgeschrieben.

GERTI: Doch.

(Pause)

FRED: Ich werd mich in deine Sachen nicht dreinmischen.

GERTI: Du kannst das machen wie du willst. **Ich** schreib dir
35 nichts vor. Ich bin ja nicht so.

FRED: Dann sag mir –

GERTI: Na was?

FRED: Nichts.

GERTI: „Dann sag mir, wer das war, mit dem roten Auto

32

der dich am Samstag von der Schule abgeholt hat."

FRED: Ja.

GERTI: Das war ein Bekannter, wenn du's wissen willst.

FRED: Wie ich gesagt hab.

GERTI: Ich hab mehrere Bekannte. Wie jeder Mensch. Oder   5
hast du vielleicht keine?

FRED: Nein.

GERTI *(lacht)*

FRED: Ich hab ein paar Freunde. Und sonst nichts.

GERTI: Und ein paar Freundinnen.   10

FRED: Nein.

GERTI: *Eine* wirst doch haben!?

(Pause)

FRED: Gehen wir jetzt da rüber. Wir gehen ja in die
verkehrte Richtung. –   15

GERTI: Ich hab eine ältere Schwester. Und da sind immer
Leute bei uns, ihre Freundinnen und ihre Freunde. Da
hängt sich manchmal einer an mich. – Aber das sind alles
blöde Hunde.

(Pause)   20

FRED: Du hast immer so schöne Sachen an. Wo hast das
her?

GERTI: Mein Gott, aus einem Geschäft halt, aus der Stadt
drinnen.

FRED: Dafür. Wir kaufen nie was in der Innenstadt.   25

GERTI: Ja weißt, meine Eltern haben dort ihre Geschäfte.

FRED: Mehrere?

GERTI: Mein Vater hat einen Pelzgroßhandel. Aber den hat
er schon länger. Die Handtaschenboutique von meiner
Mutter gibt's erst seit ein paar Jahr.   30

FRED: Dafür hast so eine tolle Schultasche.

GERTI: Nein, die hat mir mein Vater gekauft. Und der kauft
nichts im Geschäft von meiner Mutter.

(Pause)

Was schaust denn so?   35

(Pause)

FRED: Wie gefällt's dir in unserer Klasse?

GERTI: Das hast mich schon einmal gefragt.

FRED: Nein. Ich erinnere mich ganz genau an alles, was ich

33

dich gefragt hab. Ich hab dich gefragt, warum du in unsere Klasse gekommen bist.

GERTI: Du – wie soll's mir gefallen? Wie gefällt's denn dir?

FRED: Ich kenn ja alle schon seit vier Jahr.

5 GERTI: Deppen sind schon dabei.

FRED: Und im Gymnasium, wo du warst, waren keine?

GERTI: Andere.

FRED: Was für welche?

GERTI: Wie die geredet haben, gespreizt.

10 FRED: Und die Lehrer?

GERTI: Stur, und wie. Glaubst, sonst wär ich durchgefallen?

FRED: Was machst nach der Hauptschule?

GERTI: Ich weiß nicht. Handelsschule oder so was. – Was machst du heut nachmittag?

15 FRED: Wieso?

(Pause)

Gar nichts. Wieso?

GERTI: Ich mach auch nichts.

(Pause)

20 FRED: Aber die Aufgabe wirst doch einmal machen.

GERTI: Fällt mir nicht ein.

FRED: Lernen tu ich auch nichts.

GERTI: Warum hast du dann gestern in Physik alles gewußt?

25 FRED: Da hab ich schon ein bißchen gelernt. – Wenn man
gar nichts tut, geht's ja auch nicht.

GERTI: Schau mich an.

FRED: Und deine Eltern sagen nichts?

GERTI: Nein.

30 FRED: Du hast's schön. – Was machst denn immer, wenn du
keine Aufgaben machst und nichts lernen brauchst?

GERTI: Manchmal fahr ich raus mit dem Autobus zum
Badeteich nach Brunn, dort haben wir einen Bungalow.

35 FRED: Jetzt im Herbst?

GERTI: Na sicher. Weil da sind meine Eltern nicht draußen.

FRED: Schön. Ich möcht auch einmal allein in einem Haus
sein. Ganz allein. – Bei mir kommt immer der Vater ins
Kabinett schauen, was ich mach.

GERTI *(lacht)*: Ich bin doch nicht allein draußen. Da kommen meine Freundinnen. Und allerhand Bekannte von mir und von meiner Schwester. Wir haben so einen Club.

FRED *(interessiert)*: Einen Verein?   5

GERTI *(ein wenig spöttisch, wobei sich ihr Spott sowohl gegen Fred wie gegen den Club richtet)*: Verein – ja, ein schöner Verein ist das. Willst beitreten?

(Fred kennt sich nicht aus.)

Beitrittsgebühr ist eine Flasche Whisky.   10

FRED *(lacht aus Verlegenheit)*

GERTI: Du glaubst, das ist ein Witz?

FRED: Nein.

(Pause)

Wo soll ich eine Flasche Whisky hernehmen?   15

GERTI: So was nimmt man ganz einfach von daheim mit.

FRED: Ach so.

GERTI *(etwas ungeduldig)*: Ja.

FRED: Bei uns daheim gibt's keinen Whisky.

GERTI *(ungeduldig)*: Dann halt was anderes.   20

FRED: Na klar. – Du, ich muß jetzt nach Haus. Sonst ist vorher meine Mutter da.

GERTI: Ich hab geglaubt, die arbeitet.

FRED: Sie hat immer sechse – zwei.

GERTI: Eine schöne Gaude[22], um 5 aufstehen.   25

FRED: ½5. – Kann ich dich nachmittag wo treffen?

GERTI: Fahren wir raus zum Teich?

FRED: Nein.

GERTI: Wieso nicht?

FRED: Ich weiß nicht – wie ich dir das erklären soll.   30

GERTI: Vielleicht weißt du's nachmittag.

FRED: Du – wirklich? Und wo treffen wir uns?

GERTI: Hol mich von daheim ab.

FRED: Geht das nicht, daß wir uns – zum Beispiel am Antonsplatz treffen?   35

GERTI: Hast du da näher?

FRED: Nein. – Bitte.

---

[22] Gaudi, Freude, Spaß

GERTI: Von mir aus.
FRED *(glücklich)*: Du, das ist – du bist –
GERTI: Was hast denn jetzt?

6

5 *(Schule. Klasse.)*

LIPP: Marianne, teil die Hefte aus.
Und du die anderen, Gustl. Da.
GUSTL: Ich tu grad eine Patrone in die Füllfeder.
LIPP: Ernst! Teil du die Hefte aus. – Es sollte **jeder**
10 nachschauen, ob die Feder gefüllt ist. Das sag ich schon
seit der ersten Klasse. Es gibt aber immer wieder
welche, die dann mitten im Aufsatz anfangen, mit ihrer
Feder herumzufuhrwerken. Und dann verlieren sie den
Faden.
15 1. BUB *(leise)*: Schau, was die Gerti macht.
2. BUB: He, du, schau, die hat den Kittel[23] ganz oben.
3. BUB: Vielleicht hat ihr das der Fred beigebracht.
5. BUB: Fred. Hast du ihr das beigebracht?
(Einige lachen)
20 LIPP: Gerti, was ist, machst du Strip-tease?
(Lachen)
GERTI: Ich hab mir die Strumpfhose zerrissen an dem
blöden Sessel.
LIPP: Du wirst hoffentlich jetzt nicht zum Stopfen anfangen.
25 GERTI: Ich muß das jetzt richten. Sonst rennen mir die
Maschen davon.
LIPP: Was hast du da?
GERTI: Nagellack. Damit pick ich das Loch zu.
3. BUB: Hast gehört, Fred, sie pickt sich das Loch zu.
30 *(Lachen)*
LIPP: Seid still jetzt. Haben alle die Hefte? –
Es gibt wieder zwei Themen. Wir haben vorige Woche
begonnen, ganz allgemein über die Arbeitswelt zu
reden, welche Berufe es gibt, wieviel Prozent Arbeiter,

---

[23] hier: (österreich.) Kleid, Rock

36

Angestellte, Beamte undsoweiter. Heute schreibt ihr über die Arbeitswelt eurer Eltern. Das erste Thema ist: Der Beruf des Vaters, das zweite: Der Beruf der Mutter.

7. BUB: Mein Vater sitzt im Irrenhaus. Was soll ich da schreiben?

(Lachen)

LIPP: Fang endlich an.

7

(Wohnung Stocker.
Die Familie Stocker beim Abendessen.)

HERR STOCKER: Wo soll er denn sonst gewesen sein?

FRAU STOCKER *(aufgeregt)*: Das mußt du ihn fragen, nicht mich. – Und das geht jetzt schon ein paar Tage so. Ich tummle mich von der Arbeit nach Haus, und er ist nicht da. Kommt einmal um vier, einmal um fünf –

HERR STOCKER: Hör auf, da kriegt man ja ein Magengeschwür.

FRAU STOCKER: Und ich? Glaubst du, ich krieg kein Magengeschwür?

HERR STOCKER: Wenn er sagt, er war Fußball spielen.

FRAU STOCKER: Die Mutter vom Ernst und die Mutter vom Gustl haben gesagt, ihr Bub war daheim. Keine Red davon, daß die Klassenmannschaft trainiert hat.

FRED: Ich hab doch schon gesagt: Es waren nicht alle da.

HERR STOCKER: Und warum ausgerechnet du? Hab ich nicht gesagt, du sollt dich einbremsen mit dem Kicken!?

FRAU STOCKER: Schluß ist, hast du gesagt.

HERR STOCKER: Ich hab dich was gefragt.

FRED: Ich hab's der Mutter schon erklärt: Ich bin nicht nur ein Spieler; ich trainier die Mannschaft. Wenn wir gewinnen wollen, muß ich mit die Schwächeren was tun.

HERR STOCKER: Wann geht die Schulmeisterschaft los?

FRED: Ein Spiel war schon.

HERR STOCKER: Und?

FRED: 4:0 für uns.

HERR STOCKER: Und du?

FRED: Ich hab alle vier Tor geschossen.

HERR STOCKER: Was willst denn mehr?

FRED: Das war gegen die D-Klasse. Die C hat drei Vereinsspieler. Da müssen wir uns besser vorbereiten. Gegen die haben wir voriges Jahr verloren.

HERR STOCKER: Ah, die waren das.

FRED: Ja.

FRAU STOCKER: Siehst du! Jetzt weißt, warum ich mich da nicht dreinmisch. Einmal bist für'n Fußball, einmal dagegen.

HERR STOCKER: Das hat ja damit nichts zu tun.

(Pause)

Was hat der Arzt gesagt?

FRAU STOCKER: Die Bandscheiben natürlich. Aber schlechter. Es wird immer schlechter.

(Pause)

HERR STOCKER: Weißt, was ich mir jetzt einmal gedacht hab?: am gescheitesten wär's, du hörst auf.

FRAU STOCKER: Das hab ich mir, ehrlich gesagt, auch schon gedacht.

HERR STOCKER *(überrascht)*: Ach so?

FRAU STOCKER: Ja. Weil eingerichtet sind wir. Und Auto – wenn unseres hin ist, tät ich gar kein neues mehr kaufen. Der Fred fahrt eh fast nie mit, wenn wir wohin fahren. Und für uns zahlt sich das gar nicht aus, bei den Benzinkosten.

HERR STOCKER: Ein paar tausend Schilling[24] sind es halt auch, die du heimbringst.

FRAU STOCKER: Das ist es ja, was ich immer sag, wenn du sagst, ich soll aufhören.

FRED: Ich versteh nicht, daß du dir nicht schon längst eine andere Arbeit gesucht hast.

FRAU STOCKER: Wir haben doch erst neulich drüber geredet.

HERR STOCKER: Da war er nicht dabei.

FRAU STOCKER: Die anderen Arbeiten, die ich gekriegt hätt, waren schlechter bezahlt.

---

[24] österreichische Währung; 7 Schilling entsprechen etwa 1 DM

FRED: Aber wär's nicht besser, wenn man weniger kriegt, als wenn man ganz aufhört.

FRAU STOCKER *(lacht)*: Ja, besser wär's schon.

HERR STOCKER: Jetzt kriegt man aber nirgends was. Jeder ist froh, wenn er nicht entlassen wird. 5

FRED: Vielleicht entlassen sie dich. Dann mußt sowieso aufhören.

FRAU STOCKER: Ich bin jetzt zehn Jahr bei der Firma. Die können mich doch nicht mir nichts, dir nichts entlassen.

HERR STOCKER: Die können alles. 10 Wenn sie sogar mir drohen. Und ich bin fünfzehn Jahr dabei.

FRAU STOCKER *(sehr aufgeregt)*: Dir! Dir haben sie gedroht. Wer? Erzähl! Mit was haben sie gedroht?

HERR STOCKER: Reg dich nicht auf. 15

FRED: Die Mama regt sich gleich über alles so auf. – Das wär dann zu unterschreiben.

HERR STOCKER: Was?

FRED: Das Heft da.

HERR STOCKER: Das seh ich selber, daß das ein Heft ist. 20

FRAU STOCKER: Greif es nicht an mit deine fetten Finger.

HERR STOCKER: Ich bin doch nicht fett. Vom Brot vielleicht?

FRAU STOCKER: Willst du sagen, daß der Speck nicht fett ist?

FRED: Unterschreib da unten. Brauchst es ja nicht angreifen. Da hast den Kuli.[25] 25

HERR STOCKER: Moment, Moment. Ich möcht schon auch sehen, was ich – Warum steht da: ‚Thema verfehlt‘? Na, tu weg das Löschblatt, daß ich sehen kann. – ‚Nicht genügend[26]‘. Das ist Deutsch, nicht? Ein Nichtgenügend hast du gekriegt auf die Deutsch-Schularbeit! 30

FRAU STOCKER: Zeig her! – Um Himmels willen. Was fällt denn dir ein.

HERR STOCKER: Das fängt ja gut an. Und da redet man die ganze Zeit, wie wichtig das Abschlußzeugnis ist, wegen der Aufnahme in die technische Lehranstalt. Und dann 35 fangt er so an.

---

[25] zu diesem Problemkomplex vgl. Mat. 7.8 und 7.9
[26] Note mangelhaft

(Pause)

FRAU STOCKER: Dabei hat er gar nicht viel Fehler. ‚Fleißig‘, das schreibt er mit zwei S. Da gehört was dazu. Sowas hast du ja nicht einmal in der Volksschule gemacht.

5 HERR STOCKER: Laß schauen. ‚Akord‘ mit einem K. Ich werd wahnsinnig. Der Lehrer wird eine schöne Meinung von uns haben. Da arbeite ich jahraus, jahrein im Akkord[27], und du schreibst es mit einem K. Und ‚am abend‘, genügt‘s nicht, wenn du‘s einmal falsch

10 schreibst?

FRED: Das rechnet er nur einmal. Wenn man einen Fehler öfter macht, rechnet er ihn nur einmal.

HERR STOCKER: Sonst hättest einen doppelten Fünfer gekriegt.

15 FRAU STOCKER: Du, bei drei Fehlern einen Fünfer, das ist mehr als streng.

HERR STOCKER: Das ist die Abschlußklasse! Da werden eben höhere Anforderungen gestellt. – Und wer redet denn von drei Fehler? Diese Beistriche

20 da, ist das nichts?

FRED: Nein.

HERR STOCKER: Für dich nicht. Das brauchst gar nicht extra sagen.

FRED: Er zählt nur die Fehler, wo er am Rand ein Zeichen

25 dazumacht.

FRAU STOCKER: Es ist halt ein Thema verfehlt. Es steht ja da im Heft.

HERR STOCKER: Reiß mir nicht das Heft aus der Hand. – Über was war denn zum Schreiben?

30 FRAU STOCKER: Da mußt umblättern.

HERR STOCKER: Das weiß ich selber auch. – ‚Der Beruf des Vaters.‘ Also über meinen Beruf?

FRED: Ja.

HERR STOCKER: Und da hast nichts gewußt?

35 FRED: O ja.

HERR STOCKER: Und warum ist dann das Thema verfehlt?

---

[27] Arbeit, bei der der Verdienst von der produzierten Stückzahl pro Stunde abhängt

FRED: Er hat gesagt –

HERR STOCKER: Er! er!

FRED: Der Fachlehrer hat gesagt, ich schreib nur indirekt über deinen Beruf.

HERR STOCKER: Das muß ich mir anschauen. *(er liest und murmelt dabei vor sich hin.)*

FRAU STOCKER: Lies laut!

HERR STOCKER: Nein.

FRAU STOCKER: Dann gib her. Ich lese vor.

HERR STOCKER *(verärgert)*: Bitte.

FRAU STOCKER *(liest)*: Mein Vater ist Dreher. Er arbeitet in einer Fabrik. Die Fabrik heißt Turboplan. Er geht in der Früh zur Arbeit und kommt am Abend nach Hause.

HERR STOCKER: Was heißt: am Abend?

FRAU STOCKER: Wenn er Überstunden macht, kommt er zwei Stunden später nach Hause. *(zu ihrem Mann)* Also da hast jetzt deinen Abend. *(sie liest weiter)* Er arbeitet im Akkord, weil er dabei mehr Geld verdient. Er arbeitet auf einer Drehbank. Er ist normal von 7 Uhr bis 5 Uhr beschäftigt.

HERR STOCKER: Wie oft denn noch dasselbe?

FRAU STOCKER: Das war noch gar nicht. *(sie liest weiter)* Das Essen nimmt er von zu Hause mit, weil das Essen in der Kantine schlecht ist. Von dem Essen hat mein Vater ein Magengeschwür bekommen. Und vom Ärgern auch, wenn er **so** sagt und ein anderer sagt so. Mein Vater arbeitet fleißig und ist am Abend immer müde. Deshalb hat er zu Hause am liebsten seine Ruhe.

HERR STOCKER: Hätt er gern! Hätt er gern die Ruhe!

FRAU STOCKER: Sei mir nicht bös, aber viel anders hätt ich den Aufsatz auch nicht geschrieben.

HERR STOCKER: Ein schönes Armutszeugnis stellt ihr euch da aus. ‚Der Beruf des Vaters‘! Magengeschwür – das ist ein Beruf, nicht wahr. Und Kantine. Und von in der Früh bis am Abend arbeiten – das ist auch ein Beruf. Und ärgern. Und müd sein – das ist alles ein Beruf, nicht!? Was schreibt er noch. – Gib her das Heft. *(liest)* Mein Vater ist Dreher. Gut. *(liest)* Er arbeitet in einer Fabrik. Ja, aber in was für einer?

FRED: In der Turboplan.

HERR STOCKER: Das weiß jeder Trottel. Aber was die Firma macht – das gehört daher. Also!

FRED: Ja – Achsen und so was.

5 HERR STOCKER: Da hast du's. Achsen! Getriebe[28], mein Freund! Getriebe für Zugmaschinen, und zwar für die ganz schweren.

Jetzt erzähl ich tausend-und-abertausendmal von diese Riesenfahrzeuge und von diese Getriebe, diese Spezial-
10 getriebe, die die brauchen. Und das geht beim einen Ohr rein, beim andern raus. Das gehört doch zuallererst, was die Firma überhaupt herstellt, in der der Vater arbeitet. – *(liest vor sich hinmurmelnd, ein paar Sätze weiter.)* Was jetzt kommt, das ist alles Holler. Das hat wirklich nur
15 am Rand mit dem Beruf zu tun. Da hat der Lehrer vollkommen recht.

FRAU STOCKER: Aber was hört denn der Fred von deinem Beruf?! Nichts anderes, als was er schreibt! Von die Überstunden hört er, vom Akkord, vom Streit bei der
20 Akkordberechnung, vom Ärger mit dem und mit dem, vom Saufraß, von deinem Magengeschwür. *(aufgeregt)* Und ich muß dir wirklich sagen, ich find das eine Frechheit von dem Lehrer, daß er verlangt, daß der Bub was schreibt, was er gar nicht wissen kann. Weil der
25 Lehrer kann das ja auch nicht wissen.

HERR STOCKER: Ach so. Das kann man nicht wissen. Das ist aber interessant. Es ist ja was ganz Seltsames, so ein Dreher. Gibt ja nur zwei, drei auf der Welt. Man kann nichts wissen! Er schreibt ja selber, der Fred – wo ist
30 das –: *(er liest)* Er arbeitet auf einer Drehbank[29]. Jeder Depp weiß das! Und wenn man noch dazu einen Vater hat, der ein Dreher ist, dann ist es das mindeste, daß man sagt: Revolverdrehbank[30]. – So ein Getriebe für Drehzahlverstellung, das besteht aus Zahnradl, das weiß

---

[28] Zahnradkombination in Motoren, z. B. Autos, zur Umsetzung der Motorleistung auf die Räder

[29] hier: Maschine zum Fräsen und Bearbeiten von Metallteilen

[30] halbautomatische Drehbank zum Fräsen von Metallteilen

jedes Kind. Und große Getriebe haben große Zahnradl, das leuchtet wohl auch jedem ein. Und ein großes Zahnradl muß *(ganz hochdeutsch)* gelagert sein, und dazu braucht's, wie schon das Wort sagt, Kugellager. Und Kugellager[31] können nicht irgendwo herumkugeln, die müssen irgendwo sitzen. Es sagt ja eh alles das Wort! Also braucht man Kugellagersitze! Und die werden in einem Eisenstückl nicht von allein. Deshalb muß ich sie machen. Die müssen genau sitzen. Also ist es eine genaue und komplizierte Arbeit. Da braucht man logischerweise mehrere Werkzeuge, und eine Revolverdrehbank hat das: Bohrer[32] hat sie, Reibahlen[33] hat sie, Senker[34] hat sie. Die sitzen alle zusammen im Revolverkopf. Jetzt weiß man gleich auch, warum die Drehbank so heißt. Den Kopf, den muß man drehen können, denn die Werkzeuge müssen nacheinander eingreifen können, nicht wahr?! Eine ganze Geschichte, was heißt: einen ganzen Roman könnt man drüber schreiben. Aber ihr natürlich, mit einem Dreher in der Familie, ihr habt natürlich von nichts was gehört und habt von nichts eine Ahnung.

FRED: Glaubst du wirklich, wenn du das das erste Mal hörst, du kannst das alles gleich verstehen und behalten?

HERR STOCKER: Das erste Mal! Du wirst mir doch nicht einreden wollen, daß ich nie was von der Bude erzähl!

FRAU STOCKER: Aber was!

HERR STOCKER: Es paßt also nicht, was ich red daheim! Das ist mir ja neu. Und warum auf einmal, wenn ich fragen darf?

FRED: Ich geh in mein Zimmer. Ich muß noch was lernen.

HERR STOCKER: Tät nicht schaden.

(Fred geht.)

FRAU STOCKER: Es war nicht so gemeint.

---

[31] Kombination mehrerer Stahlkugeln, auf denen andere bewegliche Teile, z. B. Achsen, ruhen

[32] hier: Metallbohrer zum Aufbohren von Werkstücken an einer Drehbank

[33] geriffeltes Rundwerkzeug zum Glätten von Bohrlöchern in Werkstücken an einer Drehbank

[34] Hebel zum Absenken von Bohrern, Fräsen und dergl. an einer Drehbank

HERR STOCKER: Ich werd jetzt immer ein Referat halten beim Nachtmahl. Brauchst nicht glauben, daß ich das nicht kann.

FRAU STOCKER: Jetzt hör auf. Denk gescheiter nach, was wir machen sollen.

HERR STOCKER *(überrascht)*: Was willst denn machen?

FRAU STOCKER: Du hast doch selber gesehen: Der Bub hat geschrieben, was er gewußt hat, und mehr hat er nicht gewußt. Da kann man ihm doch keinen Fünfer geben.

HERR STOCKER: Kann ich's ändern?

FRAU STOCKER: Du hast selber gesagt vorher, wie wichtig das Schlußzeugnis ist wegen der Aufnahmeprüfung. Wenn er einen Fünfer verdient hat, bitteschön. Aber alles muß man sich doch nicht gefallen lassen.

HERR STOCKER: Willst zum Lehrer gehn?

FRAU STOCKER: Was sonst.

HERR STOCKER: Wenn du glaubst.

FRAU STOCKER: Aber nicht ich werd gehn, sondern du.

HERR STOCKER: Du spinnst wohl.

FRAU STOCKER: Du wirst dich nicht immer drücken, wenn's um die Schule geht!

HERR STOCKER: Du glaubst wohl nicht, daß ich deshalb einen Tag Urlaub nehm.

FRAU STOCKER: Dann gehst am Samstag. Gleich morgen. Das Thema heißt ‚Der Beruf des Vaters'. Das wär doch lächerlich, wenn da die Mutter hingehn tät.

8

(Nach Unterrichtsschluß, vor der Schule. Straße.)

4. BUB: Also um zwei.

FRED: Ja.

GUSTL: Traust dich einen Zehner wetten?

FRED: Um was?

GUSTL: Oder sagen wir so: wenn du nicht kommst, mußt du zehn Schilling zahlen.

FRED: Wenn ich sag, daß ich komm.

44

GUSTL: Das hast du schon ein paarmal gesagt. Vorgestern, vorvorgestern.

FRED: Da hab ich nicht dürfen.

GUSTL: Geh, daß ich nicht lach.

6. BUB: Es ist gescheiter, du sagst gleich, wenn du nicht 5
kommst.

4. BUB: Vielleicht darfst heut wieder nicht.

FRED: Heut ist Samstag.

GUSTL *(ironisch)*: Ich bin mir da auch nicht so sicher.

FRED: Und warum? 10

6. BUB: Na, schau einmal, wer da unten steht, an der Ecke.

FRED: Ihr spinnt ja. *(er geht einige Schritte, dann läuft er.)*

GERTI: Von wo kommst du daher?

FRED: Na, von da.

GERTI: Willst nicht, daß deine Freunde sehen, daß du mit 15
mir gehst?

FRED: Geh. *(im Sinn von: wo denkst du hin?)*

GERTI: Lüg nicht.

FRED: Weißt du – das sind ja solche Deppen.
(Pause) 20

GERTI: Ist dir nicht kalt, nur mit dem Pullover?

FRED: N-nein. Aber nachmittag werd ich mir schon eine Jacke mitnehmen. – Kannst du um vier?

GERTI: So spät?

FRED: Ja. 25

GERTI: Schad.

FRED: Ich muß heute zum Match. Jetzt war ich dreimal nicht.

GERTI: Zweimal.

FRED: Und vorher auch schon einmal. 30

GERTI: Glaubst, ich bin dir das Fußballspielen neidig?

FRED: Ich hab heut gar keine Lust.

GERTI: Ich möcht aber, daß du gehst.

FRED: Wirklich?

GERTI: Und nachher kommst zu mir. 35

FRED: In den Bungalow?

GERTI: Wie kommst auf das?

FRED: Du hast doch gesagt, daß du manchmal draußen bist.

45

GERTI: Nein. Dort macht meine Schwester heut eine Geburtstagsfeier für ihren Freund.

FRED: Hat sie schon einen fixen?

GERTI: Die hat nie lang einen.

5 FRED: Und du?

GERTI: Frag nicht so dumm. – Kannst um vier?

FRED: Ja. Im Ressl-Park.

GERTI: Wieso im Ressl-Park? Bei uns!

FRED: In der Wohnung?

10 GERTI: Ja, sicher.

FRED *(entschieden)*: Nein.

GERTI: Ich hab ein eigenes Zimmer. Wir plaudern ein bißchen mit meinen Eltern. Und dann gehen wir in mein Zimmer, und ich zeig dir, was ich alles hab, meine

15 Platten und so.[35]

FRED *(wie oben)*: Nein, das geht nicht.

GERTI: Und warum geht das nicht?

(Pause)

Meine Eltern beißen dich nicht. – Meine Schwester und

20 ich, wir haben unsere Freunde immer nach Haus mitnehmen dürfen, egal, ob das Buben waren oder Mädel.

Oder ist es nicht wegen der Eltern?

(Pause)

Wegen was ist es dann?

25 *(Pause)*

Hast du noch nie ein Mädchen zu dir eingeladen?

FRED *(schroff)*: Nein.

GERTI: Erlauben es deine Eltern nicht?

(Pause)

30 FRED: Ich weiß nicht. – Ich glaub nicht.

GERTI: Und warum nicht?

FRED: Keine Ahnung. – Ich hab sie nicht gefragt. Vielleicht würden sie's eh erlauben. – Aber ich glaub nicht.

(Pause)

35 Machen wir noch einen Umweg über den Markt? Oder mußt du gleich nach Haus?

GERTI: Ich hab noch Zeit.

---

[35] zu diesem Problemkomplex vgl. Mat. 7.3 und 7.4

FRED: Du darfst nicht glauben, daß ich was gegen deine
Eltern hab. Aber bitte treffen wir uns heut im Park. Ein
anderes Mal komm ich gern zu euch.

GERTI: Einen kleinen Vogel hast du schon.

(Pause) 5

FRED: Das ist doch komisch: zu ganz fremde Leut in die
Wohnung.

GERTI: Bin ich fremd?

FRED: Du weißt schon, was ich mein.

GERTI: Du, das weiß ich überhaupt nicht. 10

(Pause)

FRED: Du bist wirklich anders.

GERTI: Wie denn? Anders als du?

(Pause)

Wenn du mich nicht mehr leiden kannst, dann sag's. 15

FRED *(lacht kurz)*: Mir kommt vor, du hast einen Vogel.

GERTI: Nein, nein. Wie bin ich: das möcht ich wissen.

FRED: Du bist – du hast es eben besser. Du brauchst nicht so
viel lernen wie ich, wenn du aus der Schule austrittst,
gehst du ganz einfach ins Geschäft von deinem Vater. 20
Du hast eine Menge Taschengeld. Du hast überhaupt
alles, was du willst. Sicher hast einen eigenen Plattenspieler.

GERTI: Na und?

(Pause) 25

FRED: Frei bist halt – gegen mich!

GERTI: Frei? Bist du eingesperrt?

FRED: Eingesperrt nicht. Aber manchmal möcht ich am
liebsten davonrennen.

GERTI: Wohin? 30

FRED: Wohin! Wenn ich das wüßt. – Wenn ich nur denk,
heut daheim. Der Vater, der wird einen Grant haben. Er
war in der Schul, beim Lipp. Dann geht die Quarglerei[36]
wieder los.

GERTI: Dein Vater war auch beim Lipp? Da waren ja eine 35
ganze Menge heut.

FRED: Wegen dem Aufsatz. Dem Gustl seine Mutter auch.

---

[36] Streiterei, Gezanke, Genörgele

47

Es waren ja so viele Fünfer.

GERTI: Du hast auch einen gefangen, hast gesagt.

FRED: Ja.

GERTI: Komisch. Ich, wo ich sonst immer einen Fleck hab,
5   hab diesmal einen Zweier.

FRED: Fehler hab ich eh nicht so viel. Aber das Thema
    verfehlt.

GERTI: Weißt nicht, was dein Vater für einen Beruf hat?

FRED: Das ist gar nicht zum Lachen.

10 GERTI (lacht kurz): Na, sei mir nicht bös! (i. S. v.
    entschuldige schon!)

FRED: Was glaubst, warum so viele Fünfer waren? Bei dir
    ist es leicht. Dein Vater ist Geschäftsmann. Das weiß
    jedes Kind, was ein Geschäftsmann macht. Aber mei-
15   ner? Weißt du, was ein Dreher macht?

GERTI: Ein Dreher?

FRED: Ein Dreher in einer Getriebefabrik
    (Pause)
    Na siehst.

20 GERTI: Wie soll denn ich das wissen?

FRED: Und ich? Der Vater redet zwar hin und wieder was
    daher. Aber vorstellen kannst dir nicht darunter. In
    letzter Zeit heißt's nur immer: der Haas, der Haas.

GERTI: Welcher Haas?

25 FRED: Frag mich. Irgend so ein Betriebsmeister oder
    Betriebsleiter[37] oder was. – Eine Streiterei müssen die
    haben in der Bude!

GERTI: Bei uns gibt's das nicht. Wenn von unsere Leut wem
    was nicht paßt, der kann gleich gehen.

30 FRED: Eure Leut?

GERTI: Na, die Leut, die bei meinem Vater arbeiten.

FRED: Na dankschön! Das müssen schöne Seicher sein,
    wenn sie sich das gefallen lassen!

GERTI: Wieso? Mein Vater sagt, das ist **sein** Geschäft.

35 FRED: Meiner sagt, so was sollt's gar nicht geben.

GERTI: Kein Geschäft??

FRED: Komm schnell rüber da!

---

[37] hier: Leiter eines Produktionsbetriebes

48

GERTI: Was ist?

FRED: Ist schon zu spät. Er hat uns gesehen. – Mein Vater.
Der da, mit dem Sack. – Servus.

HERR STOCKER: Wie kommst denn du da her?

FRED: Ich begleit die Gerti nach Haus.   5

HERR STOCKER: Stocker ist mein Name. Guten Tag.

GERTI: Steinbrugger.

HERR STOCKER: Freut mich. Sie wohnen aber weit weg von
der Schul.

GERTI: Nicht ganz so weit. Wir haben einen kleinen Umweg   10
gemacht.

HERR STOCKER: Sind Sie aus dem Fred seiner Klasse?

GERTI: Ja.

HERR STOCKER: Da darf man ja noch ‚Du' sagen zu Ihnen.

GERTI *(lachend)*: Ja.   15

HERR STOCKER: Ich hab einen Zwiebel gekauft auf dem
Markt. Es zahlt sich schon aus, wenn man mehr nimmt,
als immer nur ein bissel, und für das bissel muß man um
so mehr zahlen. Auf Wiederschaun. Und er soll Sie gut
nach Haus bringen.   20

GERTI *(lachend)*: Auf Wiedersehn.

FRED: Servus.

(Pause)

GERTI: Dein Vater ist gar nicht so –

HERR STOCKER *(ruft)*: Du, Fred! Komm her einen Moment!   25
(Fred läuft zu seinem Vater.)
Nimm dir für Montag nachmittag nichts vor. Ich hab mit
dem Fachlehrer heut geredet. Er versteht das sehr gut
mit dem Aufsatz. Und es war ja nicht nur bei dir so. Ich
hab mir gedacht, damit du einmal siehst, wie das ist mit   30
meinem Beruf, kommst um 5 in den Betrieb am Montag.
Da zeig ich dir alles. –
In einer dreiviertel Stund essen wir.

FRED: Ja, ist gut.

(er läuft zu Gerti zurück.)   35

GERTI: Ich hab schon einen Hunger. Ich hab heut keine
Jause[38] mitgehabt.

---

[38] (österreich.) Vesper, Zwischenmahlzeit, Pausenbrot

FRED: Der Lipp, der hat ihnen was eingeredet. Bis jetzt is
mein Vater noch nie auf die Idee gekommen, daß er mi
den Betrieb zeigt. Aber jetzt auf einmal.

GERTI: Das würd mich auch interessieren.

5 FRED: Wieso?

GERTI: Ja, wieso interessiert es denn dich?!

FRED: Hab ich das gesagt?

GERTI: Dich interessiert das gar nicht? –

FRED: Lang hat mich das überhaupt nicht interessiert. Abe

10 jetzt, wo man schon denken muß, daß man selber einma
in einem Betrieb stehen wird.

(Pause)

GERTI: Dein Vater ist richtig nett.

FRED: Unmensch ist er keiner.

15 GERTI: Weil du immer so tust.

(Pause)

FRED: Also um vier.

GERTI: Und wo?

FRED: Im Ressl-Park. Wie wir gesagt haben.

20 GERTI: Wir!

FRED: Sei nicht so!

GERTI: Ich bin ja auch nicht so.

9

(Wohnung Steinbrugger. Samstag nachmittag. Im Fernse
25 *hen läuft irgendeine Alte-Leut-Sendung.*
Herr Steinbrugger schreckt aus einem leichten Schlaf auf.)

HR. STEINBRUGGER: Fünf! Um die Zeit schon schlafen. – Be
diesem Mist im Fernsehen ist es ja kein Wunder. *(e.*
schaltet den Fernsehapparat ab.) Gerti! – Gerti!

30 FR. STEINBRUGGER *(ruft aus einem anderen Raum)*: Die is
noch nicht da!

HR. STEINBRUGGER: Kannst du mir ein Bier bringen? Au
dem Eisschrank.

FR. STEINBRUGGER: Du sollst nicht so kalt trinken.

35 HR. STEINBRUGGER: Ich hab gesagt: aus dem Eisschrank.

FR. STEINBRUGGER: Das ist jetzt schon das vierte Bier.

50

HR. STEINBRUGGER: Und wenn's das zehnte wär, geht das auch niemand was an!

FR. STEINBRUGGER: Glaubst, ich bin dir's neidig? Es ist doch nur wegen deinem Magen.

HR. STEINBRUGGER: Der hält noch lang.

FR. STEINBRUGGER: Du wirst schon noch sehen.

HR. STEINBRUGGER: Das tät dir passen: daß ich nur arbeit und nichts hab davon.

FR. STEINBRUGGER *(lachend)*: Du und arbeiten.

HR. STEINBRUGGER *(aufgebracht)*: Was verstehst denn du unter Arbeit? Ständig in die Kosmetiksalons herumliegen?

FR. STEINBRUGGER: Das mach ich nach der Arbeit.

HR. STEINBRUGGER: Dann wunderst dich, daß aus die Kinder nichts wird.

FR. STEINBRUGGER: Kümmerst dich halt du mehr um sie.

HR. STEINBRUGGER: Mach das Gulasch nicht so scharf, dann krieg ich nicht so einen Durst. Das machst du ja absichtlich, damit ich recht viel trink. Und daß mich dann wieder sticht im Magen.

FR. STEINBRUGGER: Ja, freilich. Ich hab ja sonst keine Sorgen.

HR. STEINBRUGGER: Es schaut ganz so aus. Sonst hättest mir schon gesagt, wo die Gerti ist. Sie hat gesagt, sie holt einen Schulfreund ab und kommt dann mit ihm zu uns.

FR. STEINBRUGGER: Das hat sie *gestern* gesagt.

HR. STEINBRUGGER: Und das zählt heut nicht mehr?

FR. STEINBRUGGER: Heut hat sie gesagt, sie geht mit ihm spazieren.

HR. STEINBRUGGER: Und wer sagt, daß ich das erlaub?

FR. STEINBRUGGER: Fangst jetzt an, dir Sorgen um deine Töchter zu machen?

HR. STEINBRUGGER: Das ist kein Witz!

FR. STEINBRUGGER: Und warum nicht?

HR. STEINBRUGGER: Die Gerti ist jetzt nicht mehr im Gymnasium, sie ist jetzt in der Hauptschule. Weil du dich so toll gekümmert hast um sie.

FR. STEINBRUGGER: Du hättest –

HR. STEINBRUGGER: Ist schon gut, ist schon gut! Da kann

51

man jetzt eh nichts mehr machen. Sie ist jetzt in der Hauptschule, hab ich gesagt, und du weißt ja, was das für Kinder sind.

FR. STEINBRUGGER: Ja. Weil ich war selber in einer. Und du auch – falls du es schon vergessen hast.

HR. STEINBRUGGER: Ja, aber wann – das waren andere Zeiten!

FR. STEINBRUGGER: Schlechtere!

HR. STEINBRUGGER *(schreit)*: Mir ist das jetzt wurscht, was das für Zeiten waren. Ich will wissen, wo die Gerti ist.

FR. STEINBRUGGER: Ich hab dir schon gesagt: spazieren. Im Ressl-Park wahrscheinlich.

HR. STEINBRUGGER *(pfeift und ruft nach einem Hund)*: Putzi, Putzi, komm, wir gehen Gassi!

(Hund, Pudel, kommt bellend gelaufen)

FR. STEINBRUGGER: Wie ich dich vorher gefragt hab, ob du mit mir spazieren gehst, hast gesagt: Ich renn eh die ganze Woche genug herum.

HR. STEINBRUGGER: Die Gerti ist jetzt in der Hauptschule. Gut. Aber sie braucht nicht noch weiter sinken. Wer weiß, mit wem sie da herumzieht.

FR. STEINBRUGGER: Wenn du nicht einen Hieb hast[39].

HR. STEINBRUGGER *(schreit)*: Nein, ich hab keinen Hieb! Komm, Putzi!

(Er steigt dem Hund auf die Pfote. Der Hund jault auf.)
Blöder Hund!

FR. STEINBRUGGER: Das kann man laut sagen!

(Steinbrugger knallt die Tür zu.)

(Gerti und Fred im Park)

FRED: Kostet hab ich schon einmal. Aber ich hab nichts dran gefunden.

GERTI: Ich rauch nur mit – wenn andere rauchen. Selber kauf ich mir keine. So gut schmeckt's mir wieder auch nicht.

FRED: Das ist komisch. Die bei uns rauchen, die rauchen seit der 2. Klasse. Denen hat's auch sofort geschmeckt.

---

[39] sich etwas einbilden, einen Vogel haben

Das ist, als ob die einen als Raucher auf die Welt kommen, die anderen als Nichtraucher.

(Pause)

GERTI: Nicht, Fred! – Greif's an, es ist ganz kalt und feucht, das Holz von der Bank. Da kannst mir nicht den Kittel raufschieben.

(Pause)

FRED: Hättest dir was Wärmeres anziehen müssen, unterhalb.

(Pause)

GERTI: Weißt, ob ich nicht eh was Warmes anhab?

(Pause. Dann lacht sie.)

FRED: Wie soll ich denn das wissen – wenn die Bank feucht ist und kalt.

GERTI *(lacht)*: Gib mir einen Kuß. Aber nur einen kurzen.

(Er küßt sie. Sie macht sich los.)

Einen kurzen hab ich gesagt.

FRED: Hast Angst, daß ich dir's beweis!

GERTI: Was?

FRED: Weißt schon.

GERTI: Daß ich nichts Warmes anhab?

(sie lachen)

Und was für Angst ich hab.

STEINBRUGGER *(taucht auf und schreit)*: Wie ich mir's vorgestellt hab! Ganz genau so! Bleib nur sitzen, du Lausmensch! Jetzt brauchst nicht mehr aufstehn!

Das ist also dein Verehrer! Wie ich ihn mir vorgestellt hab: ein abgerissener Lump. Sag, graust dir nicht? Willst du in dem Alter schon ins Unglück rennen?

Schau dir den seine Schuh an! Ein einziger Erdklumpen!

GERTI: Er war Fußball spielen.

STEINBRUGGER: Du haltest das Maul jetzt, aber absolut! Du glaubst wohl, daß ich blind bin! Das seh ich selber, wie der herumrennt! Mit einem Fußballeiberl[40] unter der Jacke. Und neben so was setzt sich meine Tochter dazu. – Was glaubst, wie lang ich mir den da noch anschau?! Marsch jetzt!

---

[40] (österreich.) Fußballtrikot

(Pause)
Wirst du jetzt gehn!
(er zieht sie auf und ohrfeigt sie.)
GERTI *(weint)*
5 *(Steinbrugger und Gerti gehen.)*

10

(Schule. Ende des Turnunterrichts.
Turnlehrer pfeift.)

TURNLEHRER: Einen Moment Ruhe noch. Nächsten Montag
10   entfällt der Nachmittagsunterricht. Da ist Konferenz.
    Die nächste Turnstunde ist also erst wieder in vierzehn
    Tagen.
    (Die Schüler ziehen sich um in der Garderobe, einige sind
    schon fertig und verlassen die Schule.)
15 2. BUB: Wenn nächsten Montag kein Turnen ist, könnten
    wir ein Probespiel machen. Gegen eine dritte Klasse.
    4. BUB: Ja. hast gehört, Gustl?
    GUSTL: Was ist?
    4. BUB: Ein Probespiel gegen eine dritte. Nächsten Montag.
20 GUSTL: Auf jeden Fall. Ich frag noch den Fred. *(ruft)* Fred!
    Geh einmal weiter!
    FRED: Ich komm schon.
    GERTI *(zaghaft)*: Fred!
    FRED: Du?
25 GERTI: Macht's was?
    GUSTL: Was ist mit dir?
    FRED *(zu Gerti)*: Aber nein.
    GERTI: Hast einen Moment Zeit?
    2. BUB *(schreit)*: Dich werden wir nächsten Montag nicht
30   aufstellen. Kannst dann Ballschani spielen, wennst
    willst.
    FRED *(schreit zurück)*: Du mit deine zwei linken Füß sei
    still!
    FRED: Ist irgendwas? –
35 GERTI: Ich geh fort von daheim. Meine Sachen hab ich
    schon gepackt. Ich weiß auch, wohin wir können: Zu

54

meiner Großmutter. Die haltet bestimmt zu mir. Die
versteckt uns, bis uns was anderes einfällt. Das Geld für
den Zug hab ich, für uns beide.
(Pause)
Willst nicht?   5
(Pause)
Es war ja deine Idee.
FRED: Meine?
GERTI: Du hast gesagt, du möchtest am liebsten davonren-
nen von daheim.   10
FRED: Manchmal schon, ja.
GERTI: Und jetzt auf einmal nicht?
(Pause)
Dann geh ich allein.
FRED: Nein. Allein gehst nicht. Ich geh schon mit dir. Nur   15
heut nicht.
(Pause)
Morgen, von mir aus.
(Pause)
Es ist wegen meinem Vater. In einer Dreiviertelstunde   20
soll ich vor der Fabrik sein.
GERTI: Der Zug geht erst in zwei Stunden.
FRED: Ich möcht ja auch was mitnehmen.
(Pause)
GERTI: Was ist mit deinem Vater?   25
FRED: Es ist noch immer wegen dem Aufsatz. Weil ich
nichts gewußt hab über seinen Beruf. Jetzt will er mir
das alles zeigen und erklären.
GERTI: Ich hab geglaubt, das interessiert dich nicht.
FRED: Das hab ich nicht gesagt.   30
(Pause)
Wenn man denkt, das ist dein Vater und du sitzt jahraus,
jahrein neben ihm in einer Wohnung, und du weißt
nicht, was er macht – das ist ja auch komisch.
GERTI: Lang wirst nicht mehr sitzen, wenn wir morgen   35
abhauen.
FRED: Begleitest mich ein Stück?
(Fabrik, Garderobe)
. ARBEITER: Ich bin so weit.

1. ARBEITER: Gehn wir.

3. ARBEITER: Stocker, deine Tasche.

STOCKER: Die laß ich da. Ich komm nämlich gleich wieder.
(Pause)

5   Was schaut ihr mich so an? *(lacht ein wenig)* Weil ich
gleich wieder in die Bude zurückgeh? Das ist wegen
meinem Buben. Die lernen in der Schul übern Beruf
vom Vater. Und da möcht ich ihm zeigen, wo ich arbeit
und wie das geht.

10 8. ARBEITER: Wenn dich der Haas erwischt – Du weißt –
‚betriebsfremde Personen‘.

7. ARBEITER: Der ist heut schon um drei weggegangen. Ich
bin grad vom Lager kommen, da ist er aus seinem Büro
und hat's zugesperrt.

15 8. ARBEITER: Das sagt bei dem gar nichts.

2. ARBEITER: Können wir also mit dir nicht rechnen?

STOCKER: Aber ja, ich komm nach. Beim ‚Mohren‘, nicht?

5. ARBEITER: Ja.

STOCKER: Ich mein, Neues wird's ja nicht geben. Ich hab
20 schon gesagt, was ich mir denk. Ich bin auch dafür, daß
uns reiner Wein eingeschenkt wird, wegen der Rationalisierungen und Kündigungen. Aber zu fordern, daß der
Haas wegkommt –

6. ARBEITER: Aber der ist ja eigens geholt worden zum
25 Schikanieren!

STOCKER: Ja schon.

6. ARBEITER: Dann kannst nicht fürs eine sein und fürs
andere nicht.

STOCKER: Was ich kann, das bestimmst nicht du.

30 *(Sie sind inzwischen beim Fabriktor angelangt)*
Und eine Chance haben wir überhaupt nur, wenn
die ganze Bude mitmacht, nicht nur unsere Werkstatt.

2. ARBEITER: Das ist es ja, warum wir uns zusammensetzen.

35 STOCKER *(ruft)*: Fred! Fred! Da bin ich.
(Fred läuft herbei.)

STOCKER *(sie gehen in den Betrieb)*: Der Portier sagt nichts,
den kenn ich schon lang. Aber wenn ein Oberer
daherkommt, dann verdrückst dich gleich hinter einer

Ecke. Eigentlich ist das ja nicht erlaubt. *(lacht)* Du bist eine ‚betriebsfremde Person‘.

FRED: Herinnen schaut's gar nicht so alt aus wie von draußen.

STOCKER: Da müssen sie ja hin und wieder was richten. – Da jetzt rein. – Hat er schon was gesagt der Lehrer? Von der Arbeit in der Industrie und so. Weil gesagt hat er, daß er mit euch noch drüber reden wird.

FRED: Wir haben heut nicht Deutsch gehabt.

STOCKER: Siehst, diese große Maschin dort, das ist meine. Ich zeig dir einmal, wie sie im Leerlauf rennt.
(Stocker schaltet die Maschine ein)
(Eine Tür fällt ins Schloß)
Duck dich!
Hinter die Kiste dort, schnell!
(Stocker schaltet die Maschine ab.)

HAAS *(noch aus einiger Entfernung)*: Na, zeigen Sie nur her, was Sie da pfuschen.

STOCKER: Ich pfusch nichts.

HAAS: Nur nichts verschwinden lassen! Geben Sie die Hände auf die Seite, damit ich sehe, ob Sie was ins Sakko gesteckt haben.

STOCKER: Was fällt Ihnen ein!

HAAS: Schlechtes Gewissen, was?
Wenn Sie nicht gepfuscht haben – dann sagen Sie, was Sie um die Zeit noch allein in der Werkstatt machen.

STOCKER: Ich – ich hab die Maschin kontrolliert.

HAAS *(schreit)*: Sie können wen anderen für dumm verkaufen! Sie und nach der Arbeit eine Maschine kontrollieren! Wo Sie in der Arbeit nichts als passive Resistenz machen.

STOCKER: Ich arbeit im Akkord, Herr Betriebsleiter!

HAAS: Wissen Sie nicht, daß nach Arbeitsschluß der Aufenthalt in den Werkstätten verboten ist?

STOCKER: Seit wann?

HAAS: Das war immer so.
Nur hat sich niemand darum gekümmert. Aber dafür bin ja jetzt ich da, damit sich jemand drum kümmert.

Und in Zukunft – die kleinste Kleinigkeit, und Sie sind
fällig!
(Haas geht, eine Tür fällt ins Schloß)
STOCKER: Fred. –
5 Gehn wir.
(Sie gehen)
Wart, meine Tasche.
(Er holt seine Tasche.)
(Sie gehen)
10 Na ja. Das gehört auch zu meinem Beruf, was du jetzt
gesehen hast.
(Sie gehen auf die Straße)
FRED: Zeigst du den an?
STOCKER: Anzeigen?
15 FRED: Das liest man doch immer in der Zeitung: Wenn ein
Erwachsener einen anderen beleidigt, so zeigt der ihn
an. Ehrenbeleidigung heißt das, nicht?
STOCKER: Nein, den kann ich nicht anzeigen.
Das ist nicht, wie wenn dich auf der Straße einer
20 anschreit. In so einem Betrieb – der gehört ja wem. Das
ist, wie wenn ich in meiner Wohnung mit einem Frem-
den schrei. Verstehst? –
FRED: Wo gehst hin?
Gehst du nicht heim?
25 STOCKER: Zum ‚Mohren‘. Meine Arbeitskollegen sitzen
schon dort. Es ist – auch wegen diesem Betriebsleiter.
Wir halten den alle nimmer aus.
FRED *(interessiert)*: Macht ihr was gegen ihn?
STOCKER: Gegen alles mögliche.
30 Es sollen nämlich Leut grundlos entlassen werden. Und
damit hat er auch zu tun.
Er soll den Betrieb so organisieren, daß einer für drei
arbeitet.
FRED: Und was macht ihr?
35 STOCKER: Da müssen wir erst drüber reden.
FRED: Kann ich da nicht mit?
Ich kenn eh ein paar von deine Kollegen.
Du hast selber gesagt, das gehört auch zu deinem Beruf.
STOCKER: Ja.

FRED: Fein.
STOCKER: Nein, mit kannst nicht.
Geh heim. Ich komm bald.

11

(Schule. Unterricht.) 5

LIPP: Grad die letzten zwei Aufsätze waren ja sehr typisch, der von der Gerti und der vom Gustl. Da habt ihr wieder das, was wir am Anfang besprochen haben. Hier der relativ alte Beruf, der Händler, in unserem Fall also der Pelz- und Lederhändler Steinbrugger, der Sachen ein- 10 kauft, in größeren Mengen, und an andere Händler und Handwerker weiterverkauft. Und dann der relativ neue Beruf, der Arbeiter in der Fabrik. Neu ist nicht das richtige Wort. In der Industrie verändert sich immer wieder die Herstellungsweise. Fortschritt der Technik, 15 wenn ihr euch das noch aufschreibt bei der Industrie: Fortschritt der Technik.

Du lernst zum Beispiel auf einer Maschine, und wenn du in die Rente gehst, hast du vielleicht weiß Gott wie viel neue Maschinen gekriegt, weil das eben immer erneuert 20 und verbessert wird. Nicht wahr, Fred.

FRED: Ja.

LIPP: Jetzt ermahn ich dich schon ein paarmal, daß du zuhören sollst.

Oder hast du's nicht nötig? 25

FRED: Ja.

LIPP: Und dadurch ändert sich auch der Beruf irgendwie. Er ändert sich schneller als zum Beispiel der Beruf des Lehrers, obwohl sich da ja auch von Jahr zu Jahr was ändert. 30

Auch bei einem Lehrer wissen die Leut trotz der Änderungen immer so ungefähr, was er macht.

Wo sich aber alles so schnell ändert wie in der Industrie und wo alles so aufgesplittert ist in viele Spezialarbeiten mit genausovielen Spezialisten, da wissen die Leut 35 eigentlich gar nicht, was da beruflich vor sich geht.

59

Und das ist ja in den Aufsätzen auch herausgekommen.
Das heißt, ihr habt es auch nicht gewußt.
(lauter) Aber du natürlich schon. Dafür hast auch einen
Fünfer gekriegt.
5   *(Pause)*
(lauter) Fred!
Mit dir red ich.
FRED: Ja.
LIPP: Was hab ich grad gesagt. –
10 FRED: Der Gerti ihr Vater ist ein Händler.
(Lachen)
LIPP: Du kommst nach der Stunde zu mir. –
Wie gesagt, wir nehmen den Aufsatz als Übungsarbeit,
die Noten werden nicht gerechnet, nur die guten, die
15 schreib ich mir als Pluspunkt auf.
Wir werden heut nicht mehr dazukommen, die restlichen
Aufsätze zu besprechen.
(Es läutet)
Na, was sag ich.
20 Wer war noch nicht dran mit seinem Aufsatz?
Na, das sind nicht mehr so viel.
Da werden wir das nächste Mal fertig.
(Lehrer geht. Pausenlärm)
LIPP: Was ist, Fred?
25 FRED: Ich soll zu Ihnen kommen, haben Sie gesagt.
LIPP: Ist schon gut. – Heut hast mehr beim Fenster
rausgeschaut als sonst was.
(Lipp geht weiter. Fred folgt ihm)
LIPP: Gibt's noch was?
30 FRED: N – nei –
LIPP: Also, red schon.
FRED: Ich war gestern im Betrieb.
LIPP: Von deinem Vater?
FRED: Ja.
35 LIPP: Hat er dir alles gezeigt?
FRED: Nein. Das ist nicht gegangen.
Ich bin eine betriebsfremde Person.
LIPP: Aber du warst doch im Betrieb, hast gesagt!
FRED: Schon, aber der Betriebsleiter –

Es war schon nach Arbeitsschluß. Und der Betriebsleiter
ist dazwischengekommen. Das darf halt nicht sein, daß
man eine Maschine nach der Arbeit anstellt.

LIPP: Hast wieder müssen gehen? –
Hat dich der Betriebsleiter rausgewiesen? 5

FRED: Nein. Ich hab mich hinter einer Kiste versteckt. Mich
hat er garnicht gesehen. –
Aber meinen Vater hat er zusammengestaucht.

LIPP: Ja, wegen was denn? Wenn er dich garnicht gesehen
hat! 10

FRED: Er hat gesagt, der Vater pfuscht. Und der Vater hat
natürlich gesagt, nein, und dann hat er mit ihm
geschrien. –

LIPP: Wahrscheinlich – muß man in der Direktion ansuchen
um eine Betriebsbesichtigung. – 15
An das hab ich gar nicht gedacht.
Ich hab geglaubt, man kann da so rein. Sonst hätt ich
nicht gesagt zu den Eltern, sie sollen euch ihren Arbeitsplatz zeigen.

FRED: Mein Vater hat gesagt, das gehört auch zum Beruf. 20

LIPP: Was?

FRED: Daß man angeschrien wird.

LIPP: Naja, weißt du –

FRED: Sie tun aber eh was dagegen, mein Vater und seine
Kollegen. Er hat gesagt, das lassen sie sich nicht mehr 25
gefallen. Der ist nämlich ein Antreiber, der Betriebsleiter.

LIPP: Sagst deinem Vater, es freut mich, daß er auf meine
Anregung so schnell eingegangen ist.
Wenn's nicht geklappt hat, da kann man nichts machen. 30
(Lipp will Fred offensichtlich loswerden)

FRED: Sie machen jetzt einmal ein Flugblatt.
Und damit nicht so viel Fehler drinnen sind und die
Herren in der Fabrik nicht lachen können drüber, hab
ich gesagt, ich frag Sie. Mein Vater hat gesagt, wenn ich 35
mich trau, dann soll ich Sie fragen, ob Fehler sind.

LIPP: Na selbstverständlich.
Wo hast denn das Flugblatt.

FRED: Da.

Es ist nur einmal so hingeschrieben auf einen Zettel.
Hoffentlich können Sie's lesen.

LIPP: Wird schon gehn.

Und ich schreib's gleich in die Maschin.

5 Wird's abgezogen?

FRED *(fragend)*: Abgezogen.

LIPP: Vervielfältigt.

FRED: Ja, auf einer Maschin, in der Gewerkschaft.

LIPP: Dann schreib ich's auf Matrizen. Damit nicht nach-
10 her noch ein Fehler hineinkommt.

(lachend) Da siehst, daß man Deutsch doch für was
brauchen kann.

Holst dir's nach der Schul vom Konferenzzimmer.

12

15 *(Nach Unterrichtsschluß)*

GERTI: Warum gehst mir aus dem Weg?

FRED: Ich geh dir doch nicht aus dem Weg.

GERTI: Du hast heut noch kein Wort gesagt zu mir.

FRED: Ich hab ja in der Pause zum Lipp müssen.

20 GERTI: Aber nicht in jeder.

(Pause)

Hast schon Angst – vor unserer Reise?

FRED: Angst nicht.

Aber ich kann erst am Abend.

25 GERTI: Und wenn wir's verschieben?

FRED: Nein, nein.

GERTI: Nur um ein, zwei Wochen.

FRED *(erleichtert)*: Wenn du meinst.

Und warum auf einmal.

30 GERTI: Das führt zu nichts.

Ich hab mir's überlegt.

(Pause)

Ich geh nicht in das Geschäft von meinem Vater!

FRED: Wie kommst jetzt auf das?

35 GERTI: Ich werd nach der Hauptschul was lernen.

Da wird mein Vater schaun.

Dann bin ich nimmer auf ihn angewiesen.

Der glaubt nämlich, die ganze Welt ist auf ihn angewiesen, und er kann mit jedem machen, was er will.

FRED: Du kannst ja auch zu deiner Mutter ins Geschäft gehen. 5

GERTI: Die braucht niemand.

Außerdem will sie das nicht. Sie will, daß ich was lern.

FRED: Und wie willst das machen?

GERTI: Komische Frage. So wie du.

FRED: Da bin ich neugierig. 10

GERTI: Kannst mir ja helfen.

FRED *(ziemlich überrascht)*: Helfen? –

Jetzt hätt ich fast vergessen.

(Im Weglaufen) Ich komm gleich. (– – –)

FRED: Ich soll zum Herrn Fachlehrer Lipp. 15

LEHRER *(ruft ins Konferenzzimmer)*: Erwin, der Stocker!

LIPP: Komm schon.

LIPP: Gehn wir da rüber.

Es braucht nämlich nicht jeder sehen. Es gibt unter den Kollegen nämlich solche und solche. 20

(Sie gehen)

Da ist der Zettel einmal.

Ich hab das so formuliert, daß alles auf eine Seite geht.

Sonst ist das ja kein Flugblatt.

Und da ist die Matritze. 25

Gib's gleich in die Tasche.

Und sag mir, wie das ausgeht im Betrieb.

Vielleicht sollten wir das dann auch in der Klasse besprechen.

FRED: Vielen Dank. 30

Und vom Vater auch natürlich.

LIPP: Ja.

Und red bittschön nicht herum.

GERTI: Eine Strafarbeit?

FRED: Nein. 35

(Pause)

GERTI: Was dann?

FRED: Ein Geheimnis.

GERTI: Du hast ein Geheimnis mit dem Lipp?

(sie lacht)

FRED: Ja, wirklich. Und wenn du mir versprichst, daß du's niemand erzählst, sag ich dir's.
Ehrenwort?

5 GERTI: Ehrenwort.

FRED: Und meinem Vater muß ich's dann auch gleich sagen.

(Betrieb)

2. ARBEITER: Ich glaub's ja nicht. Aber angenommen, der
10 Lehrer macht's, dann müssen wir's auf Matritze schreiben.

WIDOWITZ: Wie oft soll ich denn noch sagen, daß man das in der Gewerkschaft machen lassen kann.

3. ARBEITER: Nein, nein. Du weißt, wir haben Erfahrungen
15 gemacht in letzter Zeit mit der Gewerkschaft.

5. ARBEITER: Jetzt hör auf, immer dieselbe Jammerei, das führt doch zu nichts.

3. ARBEITER: Renn dir erst einmal deinen Schädel so an wie ich, dann wirst anders reden.

20 5. ARBEITER: Hatt dir ja niemand geschafft.

3. ARBEITER *(heftig)*: Du hast eine Einstellung, du bist ein –

1. ARBEITER: Aus jetzt.
Oder ich mach nimmer mit.

8. ARBEITER: Wo ist der Stocker schon wieder.

25 1. ARBEITER: Telefonieren.

2. ARBEITER: Ich schlag vor, wenn das in der Gewerkschaft vervielfältigt wird, dann sind zwei von uns dabei – du und du – ihr habt ja das größte Mißtrauen, und ihr überwacht, daß nichts an unserm Text geändert wird.

30 STOCKER *(kommt)*: Der Lehrer hat's gemacht. Mein Bub hat grad angerufen. Und er hat's auch gleich auf Matritze geschrieben.

3. ARBEITER: Dann ist ja alles in Butter.

2. ARBEITER: Nein, nein. Du wirst das trotzdem überwa-
35 chen. Es soll nachher niemand sagen können, es ist ein Hund reingemacht worden.

WIDOWITZ: Also dann die Verteilung.
Mir scheint, das das Wichtigste von allem zu sein. Wir machen das Flugblatt ja nicht nur gegen den Betriebslei-

64

ter von unserem Betrieb, sondern gegen weitere Entlassungen und gegen sogenannte Rationalisierungen in der *ganzen* Firma.

Wir wollen also die *Gesamt*belegschaft dafür gewinnen, daß sie sich mit uns wehrt. 5

8. ARBEITER: Haltst du uns für blöd? Darüber reden wir jetzt eh schon ein paar Tag.

WIDOWITZ: Bitte, dann sag ich nichts mehr.

STOCKER: Kollegen, der Widowitz faßt doch nur zusammen. Ich glaub, er will darauf hinaus, wer die Zettel verteilt. 10 Wir können damit nicht in der ganzen Firma herumgehen. Ihr wißt ja, bei der kleinsten Kleinigkeit fliegt man raus. Die warten doch nur drauf.

Wir können uns auch nicht alle vorm Werkstor aufstellen. Und ein paar von uns – können das schon gar nicht. 15

6. ARBEITER: Warum nicht alle? Alle können's nicht feuern.

STOCKER: Erstens können die ohneweiters alle feuern. Und dann wollen wir das ja nicht so auffällig machen. Damit die nicht gleich eine Gegenaktion starten können. – 20

Also einen Verteiler hab ich: mein Bub würd das machen.

3. ARBEITER: Ich frag meine Frau.

STOCKER: Na, was ist mit euch? Wißt ihr wen?

(Straße) 25

GERTI: Da müßtest einmal hören, wie mein Vater mit seine Angestellten umgeht.

FRED: Mir hat's gereicht, wie er mit mir umgegangen ist.

GERTI: Und du hast geglaubt, er erschlagt ihn.

FRED: Ja. Wie er die Eisenstange umfaßt hat, hab ich 30 glaubt, er erschlagt den Haas.

GERTI: Aber das dürft ja für deinen Vater nichts Neues gewesen sein, daß der so mit ihm redet.

FRED: Wahrscheinlich nicht.

Aber für mich war's was Neues. 35

Das hab ich mir nicht vorstellen können, daß wer meinen Vater zusammenputzt und der eigentlich gar nichts machen kann.

Das gehört auch zu meinem Beruf, hat er nachher

gesagt. Wir haben am Abend noch drüber geredet. Er
hat angefangen. Ich hab geglaubt, er wird nie drüber
reden.

Und dann hat er mit mir drüber geredet, so mit einer
5 Art, wie er mit einem Kollegen aus der Bude redet.
Dafür hab ich ja dann gesagt, ich geh die Flugzettel
verteilen.

GERTI: Das find ich aber auch nicht gut.

Sie werden das rausfinden, daß du der Bub vom Stocker
10 bist. Und dann haben sie deinen Vater erst recht in der
Zwicke[41].

Weißt du was: Ich geh.

FRED *(lacht)*: Du?

GERTI *(fast ein wenig beleidigt)*: Ja, wieso nicht!?

15 *(Pause)*

FRED: Dann werden sie rausfinden, daß du die Gerti
Steinbrugger bist, die mit dem Fred Stocker geht, und
daß das der Bub vom Stocker ist.

GERTI: Das finden die nie raus.

20 FRED: Klar.

GERTI: Wie denn?

Das weiß doch niemand.

FRED: Sieht uns ja jeder.

GERTI: Na und? Wir gehen da, weil wir in derselben Klasse
25 sind.

FRED: Und was sagen's, wenn ich dir da vor allen Leuten
einen Kuß geb?

GERTI: Traust dich ja nicht.

FRED: O ja.

30 *(Er küßt sie)*

FRED: Und was *sagen's* jetzt?

GERTI: Sollen's sagen, was sie wollen.

(Sie gehen lachend weiter).

---

[41] Zwickmühle, Zange

6. Zur Hörspielbestimmung:
literarisches oder neues Hörspiel?

Hörspiele haben sich im Rundfunk seit Ende der zwanziger Jahre allmählich zur eigenständigen radiofonen Form entwickelt. Während man anfangs einfach Schauspiele für den Rundfunk gesprochen hat (die Kulissen wurden – für den Hörer freilich nicht sichtbar – noch aufgebaut), also das Theater mit akustischen Mitteln imitierte, nutzte man vor allem in den fünfziger Jahren stärker die typischen Mittel des Mediums Rundfunk.

Dazu zählen: Geräusche, Musik, Verfremdungen von Stimmen und Geräuschen, Nähe oder Ferne des Sprechers vom Mikrofon u. a. m. Günter Eichs „Träume" wird oft als *Geburtsstunde* des eigentlichen Hörspiels genannt. Eich hat in verschiedenen seiner „Träume" erstmals auch die Geräusche (in „Termiten" z. B. das Kratzgeräusch, mit dem die fressenden Termiten hörbar gemacht werden sollen) zu selbständigen Aussagemitteln des Hörspiels aufgewertet. Daß die „Termiten" zusätzlich noch ein *Symbol* für die *Hohlheit* der damaligen Welt sind, erhöht den Reiz.

Zuvor dienten Geräusche nur als Hintergrundkolorit, zur Ausmalung der Szene, zur akustischen Raumgestaltung.

Vielfach arbeiten Autoren auch Romane oder Erzählungen zu Hörspielen um. So z. B. Max Frisch „Biedermann und die Brandstifter" oder Walter E. Richartz den „Büroroman" zum „Bürohörspiel".

Michael Scharang sieht im Hörspiel die einzige zeitgemäße Form der Literaturproduktion. Die elektronischen Medien haben gegenüber dem Buch eine eindeutige Vormachtstellung eingenommen.

Ende der sechziger Jahre haben sich neue Formen der Hörspielarbeit entwickelt. Während man die früheren Hörspiele mit den Begriffen „traditionell" oder „literarisch" belegt, hat sich für bestimmte Hörspielformen der Terminus *neues Hörspiel* herausgebildet. Daneben werden Originalton-Hörspiele (O-Ton-Hörspiele) gesendet (Montagen von originalen Mitschnitten bestimmter Geschehnisse), Hörspiele in Kunstkopfstereophonie, dokumentarische Hörspiele und informativ-appellative Features.

Durch die Stereophonie (neuerdings die Quadrophonie)
5 sind dem Hörspiel neue Möglichkeiten eröffnet worden. Der Hörer erhält nicht nur eine realere Raumvorstellung mit akustischen Mitteln, er steht zu den Sprechern auch in einer bestimmten Hör-Position. Man kann sich das so vorstellen:

10 Bei einem Gespräch zwischen mehreren Personen in einem Raum sind für einen Hörer einige Personen näher und andere weiter entfernt; einige stehen oder sitzen links von ihm, andere rechts, wieder andere vor ihm.

Diese Höreindrücke, die uns im direkten Gespräch
15 kaum einmal bewußt werden, lassen sich mit dem stereophonen Hörspiel imitieren.

Noch intensiver wird der Eindruck beim Kunstkopfhörspiel. Dabei wird das Hörspiel durch Mikrofone aufgenommen, die in einem künstlichen Kopf an Stelle der Ohren
20 eingesetzt sind. Um einen möglichst originalen Höreindruck zu erhalten, muß man allerdings als Hörer ein Stereo-Rundfunkgerät und einen Stereo-Kopfhörer besitzen.

Im Hessischen Rundfunk wurden 1980 weitere Neuerun-
25 gen gesendet: Geräusch-Hörspiele.

Die Autoren dieser Hörspiele haben dem Alltagsgeschehen Geräusche abgelauscht, die gemeinhin nur als Begleitmerkmale sprachlichen Geschehens erscheinen: Türenschließen, Papierrascheln, Fußtritte, tiefes Atmen, das
30 Klacken, mit dem die Kaffeetasse auf die Untertasse gestellt wird u. a. sind zu Hörszenen montiert worden.

Es ist ein reizvolles Spiel, diese akustischen Eindrücke seiner eigenen Umwelt zu sammeln und zu einer Hörszene zu montieren, die von Zuhörern entschlüsselt wird. Die
35 dabei entstehenden Gedanken geben wertvolle Hinweise auf die Art der Begegnung zwischen Menschen und ihrer Umgebung.

Scharangs *Der Beruf des Vaters* ist ein literarisches (traditionelles) Hörspiel, und ist es wiederum auch nicht.

Worin unterscheidet es sich von einem neuen Hörspiel, z. B. von Jürgen Beckers „Häuser" oder von „Fünf Mann Menschen" von Friederike Mayröcker und Ernst Jandl?

Diese Unterschiede hier vorzutragen, wäre einfach. Sie in literaturwissenschaftlichen Untersuchungen oder Lexika nachzulesen, ist banal.

Viel interessanter ist es, die Unterschiede im Erlebnis des Hörspiels selbst zu entdecken, vielleicht noch andere als die Autoren von Lexika-Artikeln.

Wie soll man das anfangen? Die folgenden Hinweise geben einige Hör-Hilfen.

Personen:
– Welche Personen spielen mit? Werden sie namentlich genannt?
– Kann man sich die Figuren genau vorstellen?
  – durch ihre Stimmlage
  – die Art ihres Sprechens und Verhaltens
  – Beschreibungen durch andere oder durch einen Erzähler
– Sind die Personen für den Hörer bestimmte Gestalten, unverwechselbar mit anderen oder sind es Typen, die auch auf andere Menschen übertragbar sind?
– Werden die Personen überhaupt nicht vorgestellt; sind es einfach Stimmen, die man mit verschiedenen Menschen (Typen) in Verbindung bringen kann?

Ort:
– Spielt das Hörspiel an bestimmten Orten, die man sich genau vorstellen kann?
  – durch Geräusche
  – durch Musik
  – durch Dialoge/Monologe der Sprechenden
  – weil man mit solchen Orten gewisse Vorstellungen (durch eigene Erlebnisse ausgelöst) verbindet
– Ist der Ort illusionär oder utopisch, d. h. kein wirklicher Ort, sondern nur ein vorgestellter: z. B. eine Traum- oder Märchenwelt ein Irgendwo im Weltall?
– Ist der Ort überhaupt nicht festgelegt, sondern ein

Wechsel von Schauplätzen unseres Alltags: Straßen,
Wohnhäuser, Zimmer, die überall liegen könnten?
– Spielt die Handlung nicht in einem bestimmten Raum,
sondern im Überall?

5 **Handlung:**
– Gestaltet das Hörspiel eine durchgehende Handlung?
– Wird die Handlung von einem Erzähler moderiert?
– Ist die Handlung in sich geschlossen, d. h. hat sie einen
bestimmten Anfang und einen (wenn auch offenen)
10 Schluß?
– Existiert überhaupt keine eigentliche Handlung?
– Besteht das Hörspiel aus einer Montage von einzelnen
(scheinbar zusammenhanglosen) Szenen oder Zitaten?
– Ist die Handlung so aufgebaut, daß sie unverwechselbar
15 ist, nur so und dort spielen kann?
– Ist die Handlung so offen, daß sie überall spielen kann,
gleich an welchem Ort, mit welchen Personen, nur durch
einen groben Rahmen (z. B. ein Gesellschaftssystem)
festgelegt?

20 **Hörer:**
– Wird dem Hörer ein fertiges Spiel vorgesetzt wie ein
Film?
– Kann der Hörer sich mit dem Gehörten identifizieren?
– Wird der Hörer ständig zum Mit- und Weiterdenken
25 angeregt?
– Wird der Hörer in seinen Hörerwartungen gestört,
bestätigt oder irritiert?
– Wird der Hörer zur genüßlichen Aufnahme des Hör-
spiels eingeladen, zurückgelehnt im Sessel, nur auf
30 Unterhaltung eingestellt?
– Löst das Hörspiel im Hörer Gedanken, Emotionen,
Reaktionen und Aktionen aus?
– Hat der Hörer Freude (und wodurch) an dem Gehörten?

Radiophone Mittel:
35 – Dienen Geräusche und Musik allein zur Illusionie-
rung?

70

Erzeugen sie bestimmte Vorstellungen von Räumen oder Personen?
- Haben Geräusche und Musik einen eigenständigen Charakter, d. h. lösen sie allein durch ihr Vorhandensein Gedanken aus?
- Wird Stereophonie eingesetzt und welche Wirkung löst sie aus?

Bei allen Fragen ist zu beachten, wie die jeweilige Hörspielstruktur auf den Hörer wirkt. Provoziert sie ihn, löst sie bei ihm Aktionen aus, lullt sie ihn ein, unterhält sie ihn selbstzufrieden, bereitet sie ihm Freude, regt sie ihn zum Nachdenken an usw.

In jedem Fall sollte man bedenken: auch *Hörspiele* sind *Mitteilungen* in bestimmten *historischen Situationen*. Wie sie aufgenommen werden, das entzieht sich der *Verfügungsgewalt* von Autor und Regisseur.

7. Materialien

7.1

Scharangs „Der Beruf des Vaters"

„Der Beruf des Vaters«
Nach den Montagen, Collagen und O-Ton-Staffagen scheint auch in den Hörspielstudios eine Tendenzwende in Sicht: Die geradlinigen Erzähler sind auf dem Vormarsch, die Strukturen werden durchsichtiger, man konzentriert sich wieder auf greifbare Themen, Figuren, Abläufe. Michael Scharangs Hörspiel „Der Beruf des Vaters", in österreichischem Idiom vom Süd- und Westdeutschen Rundfunk unter der Regie von Otto Düben produziert (unter anderem spielen Schüler eines Wiener Gymnasiums die Rolle von Hauptschülern einer Abschlußklasse) wirkt zuweilen wie moderner Kinderfunk. Das ist kein Nachteil. Scharang schrieb ein Hörspiel für die ganze Familie.

Thema: „Wenn man denkt, das ist dein Vater und du sitzt jahraus, jahrein neben ihm in einer Wohnung, und du weißt nicht, was er macht — das ist ja auch komisch." Während hier Hauptschüler zur Entlassung in die „Arbeitswelt" den letzten Schliff erhalten (Hauptinteresse: Flirt und Fußball), steht den berufstätigen Eltern eine weit-

aus ernstere Entlassung ins Haus. Bei Scharang verknüpfen sich beide Motive sehr geschickt und einleuchtend mit einem simplen Schulaufsatz: „Der Beruf des Vaters". Er mißlingt den meisten Schülern, weil mangels Information und Aussprache die Aufsätze kaum mehr ergeben als den betrüblichen Befund „Thema verfehlt"; die Beziehungen zwischen Eltern und Kindern sind zu Feierabendfloskeln erstarrt, die nicht einmal für einen Schulaufsatz ausreichen. Mit einfachen Mitteln weist Scharang nach, daß sich Eltern und Kinder wirkungsvoller solidarisieren können als Berufsstrategen. Am Ende beteiligt sich sogar das gefallene Töchterchen des „Klassenfeinds" an der Flugblattaktion vor dem Fabriktor.

Die ARD nominierte dieses Hörspiel als ihren diesjährigen Beitrag für die European Broadcasting Union (EBU). Das Problem ist europäisch, die Sprache österreichisch, das Ergebnis erfreulich. (Ursendung am 1. 5. um 20.20 Uhr in Südfunk II, Studiowelle Saar, Südwestfunk II)

JÜRGEN STEFFAN

FAZ 30. 4. 75 (Nr. 100), Seite 26

7.2 Michael Scharang:
Anmerkungen zur dokumentarischen Literatur

Die Wahl der Methode hängt ab von der Stellung des
Autors zur gesellschaftlichen Realität und davon, wie er
seine Produktion im Verhältnis zur gesamtgesellschaftli-
chen Produktion einschätzt. Legt er Wert darauf, etwas zu   5
machen, das deutlich den Charakter von Kunst hat, das
sich abhebt von der übrigen gesellschaftlichen Produktion,
so wird seine Frage nach der Methode immer eine Frage
nach der Sprach-Methode sein. Der Autor wird die Spra-   10
che, die ein Mittel seiner Arbeit ist, verabsolutieren und
zum Zweck seiner Arbeit erklären. Er wird dem Funktionieren der Sprache nachgehen, seine Einsicht in dieses
Funktionieren zur Methode erheben; er wird diese
Methode vorführen als Resultat seiner Arbeit und so das   15
Mittel mit dem Zweck kurzschließen.
    Legt der Autor hingegen Wert darauf, reale Verhält-
nisse, die schwer durchschaubar sind, von denen der
Allgemeinheit ein falsches Bild gemacht wird oder die
überhaupt der allgemeinen Erfahrung durch Manipulation   20
vorenthalten werden, der allgemeinen Erfahrung zuzufüh-
ren, gleichgültig ob diese Arbeit den Charakter von Kunst
hat oder nicht, so wird sich seine Methode einerseits aus
der Struktur jener Verhältnisse ergeben, die er darstellen
will, andererseits aus seiner Absicht, sie erfahrbar zu   25
machen. Ein solcher Autor will etwas zeigen, etwas dokumentieren. Da er das sprachlich tut, wird er nach sprachli-
chem Material suchen, das in möglichst unmittelbarer
Beziehung zu bestimmten realen Verhältnissen steht, und
dieses dokumentieren. [...]   30
    Der Amateur-Autor, sofern er nicht kleinbürgerliche
Kunstambitionen hat, schreibt nicht, um ein literarisches
Produkt zu schaffen, er schreibt meist, um sich über eine
für ihn schwierige Situation hinwegzubringen. Man kann
nämlich nicht sagen: um mit einer schwierigen Situation   35
fertigzuwerden. Denn kein Mensch kann schreibend mit
irgendeiner Situation fertigwerden. Deshalb hat die
Schreibarbeit des Einzelnen immer auch den Charakter des

73

sich Hinwegtäuschens, Hinwegtröstens. Sie kann ihn nur verlieren, wenn der Schreibende die Chance der Veröffentlichung hat.

Würde man nur einen Bruchteil der massenhaft vorhandenen Tagebuchaufzeichnungen veröffentlichen, dann könnten die Tagebuchschreiber feststellen, daß sie, je nach Klassenzugehörigkeit, durchaus ähnliche Probleme haben. Sie könnten dann auf den Gedanken kommen, ihre ähnlichen Probleme gemeinsam lösen zu wollen. Ihre Schreibarbeit würde in dem Maß den Charakter des Selbsttrostes verlieren und intensiver werden, in dem sie füreinander schreiben und in dem das Schreiben über Schwierigkeiten sich verbindet mit dem kollektiven Bedürfnis, diese Schwierigkeiten zu überwinden. Die Schreibarbeit würde notwendig immer politischeren Charakter bekommen.

In Richtung dokumentarischer Literatur zu arbeiten – das heißt selbst zu dokumentieren oder Einzelne oder Gruppen dazu zu bringen, daß sie sich im Sinn eines Selbstbildnisses dokumentieren –, wird nur unter politischen Gesichtspunkten Sinn haben können. Die politischen Gesichtspunkte brauchen und können nicht von außen herangetragen werden, sie liegen in der Sache selbst. Die Entfremdung, die im Spätkapitalismus zwischen den Menschen herrscht und auf ihnen lastet, läßt sich nicht durch einen Eingriff von außen aufheben, die Menschen müssen sie selbst beseitigen. Voraussetzung ist, daß sie die Verhältnisse, unter denen sie leiden, einmal klar sehen und artikulieren können. Ein Beginn wäre, und wahrscheinlich der einzig richtige Beginn, wenn sie ihren Lebens- und Arbeitsprozeß zu dokumentieren versuchten. [...]

Michael Scharang, *Einer muß immer parieren. Dokumentationen von Arbeitern über Arbeiter*. Darmstadt/Neuwied 1973: Luchterhand (= Sammlung Luchterhand 128), S. 9–13.

7.3 Haus am Hang aus Holz und Glas

*Zu den sozialen Erfahrungen der Menschen gehören nicht
nur Umwelt und Arbeitswelt. Wie und wo jemand wohnt,
welche häuslichen Erfahrungen er macht oder nicht macht,
auch das prägt Denk- und Lebensweisen. Die folgenden* 5
*Materialtexte (7.4 und 7.5) vermitteln einen Einblick in zwei
extrem verschiedene Wohnverhältnisse. Der Vergleich bei-
der Texte kann helfen, die Gedankenwelt von Gerti Steinbrugger und Fred Stocker aus der Sicht ihres häuslichen
Milieus zu verstehen.* 10

Haus am Hang aus Holz und Glas

DES JAHRES 1976 MÖBEL+WOHNEN

Am Beispiel
dieses Hauses
wollen wir beweisen, daß
es nicht immer
unbezahlbar ist, am Hang zu bauen. Man muß nur
ausgetretene Architekturpfade verlassen — wie
es der Bauherr dieses prämiierten Hauses getan hat

Es muß nicht immer teuer sein, am Hang zu bauen.
Geld spart, wer in einem solchen Fall darauf verzichtet, einen
Keller ins Erdreich zu graben. Hier wurde das Haus auf Stelzen
gestellt. Nur auf der Rückseite ragt ein Teil in den steinigen
Untergrund. 15

„Ich habe den Fehler gemacht, zu groß zu bauen. Wenn ich noch einmal für mich bauen sollte, würde ich bei einem ähnlichen Raumprogramm kleinere Flächen für den Wohnbereich wählen."

5 Ist das von SCHÖNER WOHNEN mit dem Titel „Haus des Jahres" ausgezeichnete Hanghaus des Architekten Schuldt in Sipplingen tatsächlich zu groß geraten? Oder zu teuer? Oder beides? Ein klares „Nein" kann nur die Antwort sein. Denn:

10 ● 146 Quadratmeter Wohnfläche sind guter Durchschnitt und unter dem, was das Finanzamt als steuermindernd anerkennt;

Nicht nur das Haus ist aus Holz,
auch viele Teile der Inneneinrichtung – wie hier der Eßplatz mit
15 Stühlen – sind aus diesem lebendigen Material. Die Wände sind mit 22 Millimeter breiten Fichtenholzbrettern verschalt und naturbelassen. Hölzern ist auch die Treppe ins Obergeschoß, hölzern sind auch die Zargen der raumhohen Türen.

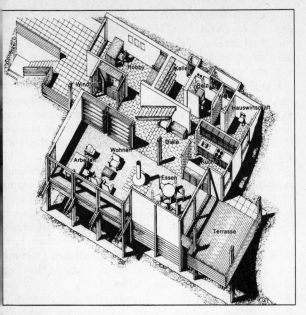

Das Erdgeschoß:

Der Blick aus der Vogelperspektive macht deutlich, daß dies ein Haus der kurzen Wege ist. Wegen der Hanglage und des felsigen Untergrunds wurde der Keller ins Erdgeschoß verlegt.

● 1000 Mark pro Quadratmeter Wohnfläche kann man 5 billig nennen, ohne rot zu werden. Auch wenn man berücksichtigt, daß der Bauherr beim Innenausbau selbst mit zugepackt hat, ist das Haus nicht teuer.

Warum nun würde Hannes Schuldt sein nächstes Haus kleiner bauen? Er hat die Erfahrung gemacht – und viele 10 Neubaubesitzer machen sie täglich neu –, daß große Räume nicht unproblematisch sind:

Sie lassen sich schwer möblieren. Jedenfalls dann, wenn die Möbel, die bisher in einem 25 qm großen Raum standen, plötzlich in einem doppelt so großen Zimmer 15 Dienst tun sollen.

Große Räume bieten zwar viel Platz für komfortable

Sitzgruppen, Kuschelecken oder Kamingruben, aber trotzdem will das Gefühl von Geborgenheit nur schwer aufkommen, weil die Dinge, die einem immer so vertraut waren – das Bild an der Wand, die Blume im Fenster – plötzlich so
5 weit weg sind.

Wer lieber der Vernunft gehorcht als seinem Gefühl, der möge zum Rechenstift greifen und nachrechnen, warum es sich lohnt, mit den Quadratmetern sparsam umzugehen. Bleiben wir bei den 146 Quadratmetern dieses Hauses.
10 Und den 1000 Mark pro Quadratmeter Wohnfläche. Fünf abgeknapste Quadratmeter im Erdgeschoß sind 5000 gesparte Mark. Fünf weitere lassen sich im Obergeschoß einsparen. Macht weitere 5000 Mark. Man kann also trotz des Abenteuers Hausbau in Urlaub fahren *und* das neue
15 Auto kaufen oder den Garten gleich richtig anlegen, anstatt, wie meist üblich, monatelang in einer Bauschutt-Wüste leben zu müssen. Oder neue Möbel anschaffen. Oder doch den besseren Teppichboden nehmen. Oder mit den 10000 Mark in der Hinterhand den unvermeidlichen
20 Kostensteigerungen ins Auge sehen.

Wenn schon mit dem Tausendmarkschein geknausert wird – warum dann relativ teures Baumaterial? Nämlich Holz? Weil Holz eben nur relativ teuer ist. Am Hang – wie in diesem Beispiel – läßt es sich leichter handhaben und
25 deshalb schneller und billiger bearbeiten. Alle Holzteile werden auf dem Richtplatz des Zimmermanns zugeschnitten – wie die Teile eines Fertighauses in der Fabrik – und erst auf dem Bauplatz zusammengesetzt – wie das Fertighaus. Weiterer Vorteil: Wer handwerklich nicht ganz
30 ungeschickt ist, kann vieles selbermachen oder sich auf dem eigenen Bauplatz als Hilfsarbeiter verdingen. Und ein oder zwei Tausendmarkscheine sparen.

Architekt Schuldt jedenfalls würde aus all diesen Gründen wieder ein Holzhaus bauen, nicht nur, weil's vernünf-
35 tig ist. Sondern auch, weil Holz immer ein Gefühl von Wärme und Geborgenheit vermittelt. Wie dieses Beispiel sehr deutlich zeigt.

Schöner Wohnen. August 8/1977. Hamburg: Gruner + Jahr,
S. 107–111.

7.4 Peter Maiwald: Wohnhaft

Der Beamte fragte:
Wohnhaft?
Der Arbeiter B.,
stockend für einen Augenblick,   5
überdachte die Kopfzahl seiner Familie,
die viel zu engen Räume,
das fehlende Badezimmer,
die Feuchtigkeit der Wände,
das Klo auf der Treppe,   10
den Mietpreis,
und antwortete
JA.

Für eine andere Deutschstunde. Arbeit und Alltag in neuen Texten.
Hrsg. v. Arbeitskreis Progressive Kunst. Oberhausen 1972, 1976[4]:   15
Asso Verlag, S. 113.

7.5 Organe der Arbeitnehmerschaft

Die Arbeitnehmerschaft, das ist die Gesamtheit der im Betrieb beschäftigten Personen, ist der eigentliche Träger der betriebsverfassungsrechtlichen Aufgaben und Befugnisse. Ausgeübt werden diese Aufgaben und Befugnisse durch die gesetzlich vorgesehenen Organe, in erster Linie durch den Betriebsrat. Die Organe der Arbeitnehmerschaft werden also nicht im eigenen Interesse und – jedenfalls primär – auch nicht im Interesse des einzelnen Arbeitnehmers, sondern im Interesse der Gesamtheit der Arbeitnehmer tätig. Dieses Prinzip kommt in der Konstruktion der einzelnen Mitwirkungsrechte, wie zum Beispiel bei (allgemeinen) Kündigungs- und Entlassungsschutz, deutlich zum Ausdruck.

Organe der Arbeitnehmerschaft sind in jedem Betrieb zu bilden, in dem dauernd mindestens fünf Arbeitnehmer über 18 Jahre beschäftigt werden. Unabhängig von dieser Arbeitnehmerzahl sind Organe der Jugendvertretung zu errichten, wenn im Betrieb dauernd mindestens fünf jugendliche Arbeitnehmer beschäftigt werden.

1. Betriebs(Gruppen-, Betriebshaupt)-versammlung (§§ 41 bis 49 ArbVG)

Die Betriebsversammlung besteht aus der Gesamtheit der Arbeitnehmer des Betriebs. Sind in einem Betrieb sowohl mehr als fünf Arbeiter als auch mehr als fünf Angestellte beschäftigt, so bildet jede dieser Arbeitnehmergruppen für sich eine Gruppenversammlung; beide Gruppen zusammen bilden die Betriebshauptversammlung. Die Gruppenzugehörigkeit ist gesetzlich geregelt. Das Arbeitsverfassungsgesetz enthält einen spezifischen *betriebsverfassungsrechtlichen* Angestelltenbegriff. Demnach zählen als Angestellte im Sinne des Arbeitsverfassungsgesetzes nicht nur jene Arbeitnehmer, für die das Angestelltengesetz unmittelbar auf Grund ihrer Tätigkeit gilt, sondern auch jene, die mit dem Arbeitgeber die Anwendung des Angestelltengesetzes sowie des Angestelltenkollektivvertrags, der auf den Betrieb Anwendung findet, zuzüglich einer Einstufung in die Gehaltsordnung dieses Kollektivvertrags unwiderruflich vereinbart haben. Die Übertragung einzelner Angestelltenrechte an Arbeiter oder die Ernennung zum „Werksangestellten" ohne wesentliche Änderung der arbeitsvertraglichen Stellung begründet daher *nicht* die Zugehörigkeit zur Gruppe der Angestellten. Lehrlinge, die zu einer Angestelltentätigkeit ausgebildet werden, zählen zur Gruppe der Angestellten, die übrigen Lehrlinge zur Gruppe der Arbeiter.

80

Betriebsratsmitglieder gelten als Angehörige jener Arbeitnehmergruppe, die sie gewählt hat.

Die *Aufgaben* der Betriebsversammlung sind im § 42 ArbVG taxativ (vollständig) aufgezählt:

1. Behandlung von Berichten des Betriebsrats und der Rechnungsprüfer: Die Betriebsversammlung kann zu jeder betrieblichen Angelegenheit, die in den Aufgabenkreis der Organe der Arbeitnehmerschaft fällt, Stellung nehmen. Sie kann zwar dem Betriebsrat keine rechtlich verbindlichen Aufträge erteilen, jedoch unterliegt die Tätigkeit des Betriebsrats der sogenannten „politischen" Kontrolle durch die Betriebsversammlung (nötigenfalls in Form des Enthebungsbeschlusses).

2. Wahl des Wahlvorstandes für die Betriebsratswahl.

3. Beschlußfassung über die Einhebung und die Höhe einer Betriebsratsumlage sowie über die Art und Weise der Auflösung des Betriebsratsfonds: Eine Betriebsratsumlage kann, muß aber nicht eingehoben werden. Faßt die Betriebsversammlung einen entsprechenden Beschluß, so hat sie zur Überprüfung der Verwaltung und Gebarung des Betriebsratsfonds auch Rechnungsprüfer zu wählen.

4. Beschlußfassung über die Enthebung des Betriebsrats: Dies ist eine Art Mißtrauensvotum, das nur gegenüber dem ganzen Betriebsrat, nicht aber gegenüber einzelnen Betriebsratsmitgliedern ausgesprochen werden kann. Nur in einem Sonderfall kann ein einzelnes Betriebsratsmitglied durch die Gruppenversammlung seiner Funktion enthoben werden (siehe unten).

5. Beschlußfassung über die Enthebung des Wahlvorstands für die Betriebsratswahl.

6. Wahl der Rechnungsprüfer.

7. Beschlußfassung über die Enthebung der Rechnungsprüfer.

8. Beschlußfassung über die Fortsetzung der Funktion des Betriebsrats nach Wiederaufnahme eines vorübergehend stillgelegten Betriebs (§§ 42 Abs. 1 Z. 8 und 63 ArbVG).

Die Gruppenversammlung (der Arbeiter oder der Angestellten) kann außerdem ein Betriebsratsmitglied wegen Verlustes der Gruppenzugehörigkeit (zum Beispiel durch Übernahme vom Arbeiter- in ein Angestelltenverhältnis) von seiner Funktion entheben. Schließlich gehört die Beschlußfassung über die Errichtung eines gemeinsamen Betriebsrats der Arbeiter und der Angestellten zu den Aufgaben der Gruppenversammlung (§§ 40 Abs. 3 und 42 Abs. 2 ArbVG).

Aufgabe der Betriebshauptversammlung ist die Behandlung von Berichten des Betriebsausschusses (§ 42 Abs. 3 ArbVG; zum Betriebsausschuß siehe unten Punkt 4).

Die Betriebs(Gruppen)-versammlung ist vom Betriebsrat mindestens einmal im Kalenderjahr, die Betriebshauptversammlung vom Betriebsausschuß mindestens einmal im Kalenderjahr einzuberufen. Der Betriebsrat (Betriebsausschuß) ist verpflichtet, in diesen regelmäßigen Betriebsversammlungen zumindest einen Tätigkeitsbericht über die vergangene Zeit zu erstatten und zur Diskussion zu stellen. Daneben sieht § 43 Abs. 2 ArbVG auch außerordentliche Betriebsversammlungen vor. Eine solche hat stattzufinden, wenn sie mehr als ein Drittel der stimmberechtigten Arbeitnehmer oder ein Drittel der Betriebsratsmitglieder verlangt – im Fall der Betriebshauptversammlung auch dann, wenn einer der beiden Betriebsräte sie fordert.

Wenn in einem Betrieb mit mindestens 20 dauernd beschäftigten Arbeitnehmer kein Betriebsrat besteht oder ein bestehender Betriebsrat funktionsunfähig ist, kann die Gewerkschaft (Arbeitskammer) die Betriebsversamlung einberufen. Voraussetzung dafür ist aber, daß eine Einberufung aus dem Betrieb – durch den an Lebensjahren ältesten Arbeitnehmer oder mindestens so viele Arbeitnehmer, als Betriebsratsmitglieder zu wählen sind – trotz Aufforderung innerhalb von zwei Wochen nicht erfolgt (§ 45 Abs. 2 ArbVG).

Um vor allem in Betrieben mit großer Beschäftigtenzahl, in Schichtbetrieben oder in Betrieben, in denen auf Grund ihrer Eigenart eine gleichzeitige Anwesenheit aller Arbeitnehmer nicht möglich ist, die Ausübung der den Arbeitnehmern im Rahmen der Betriebsversammlung zustehenden Rechte zu gewährleisten, sieht das Gesetz die Abhaltung von Betriebsversammlungen in Form von *Teilversammlungen* vor. Die Entscheidung darüber obliegt dem Betriebsrat (Betriebsausschuß). In solchen Teilversammlungen können auch Beschlüsse gefaßt werden, jedoch darf jeder Arbeitnehmer sein Stimmrecht nur in einer der Teilversammlungen ausüben. Für die Ermittlung von Abstimmungsergebnissen sind die in den einzelnen Teilversammlungen abgegebenen Stimmen zu summieren (§ 49 Abs. 2 ArbVG).

Betriebsversammlungen können während der Arbeitszeit abgehalten werden, wenn es dem Betriebsinhaber unter Berücksichtigung der betrieblichen Verhältnisse zumutbar ist (§ 47 Abs. 1 ArbVG). Bei der Beurteilung der Zumutbarkeit ist vor allem auch das Interesse der Arbeitnehmerschaft, möglichst allen Arbeitnehmern die Teilnahme an der Betriebsversammlung zu ermöglichen, zu berücksichtigen, wobei die Arbeitszeiteinteilung, die Verkehrsverbindungen, die Einkaufsmöglichkeiten usw. in Betracht zu ziehen sind. Wird die Versammlung während der Arbeitszeit abgehalten, müssen die Arbeitnehmer für die erforderliche Zeit von der Arbeit freigestellt werden. Die Frage der Entgeltfortzahlung für die Zeit der Teilnahme an einer Betriebsversammlung sowie einer allfälligen Fahrtkostenvergütung kann im Kollektivvertrag oder in einer Betriebsvereinbarung geregelt werden. Die Betriebsversammlung kann innerhalb oder außerhalb des Betriebs abgehalten werden. Die Entscheidung darüber ist Sache des Einberufers. Findet die Versammlung im Betrieb statt, so hat der Betriebsinhaber nach Tunlichkeit die erforderlichen Räumlichkeiten zur Verfügung zu stellen (§ 47 Abs. 2 ArbVG).

Den Vorsitz in der Betriebsversammlung führt der Obman des Betriebsrats (Betriebsausschusses). Wenn die Betriebsversammlung von der Gewerkschaft (Arbeiterkammer) einberufen wurde, ist diese berechtigt, den Vorsitz zu führen; sie kann aber die Vorsitzführung einem stimmberechtigten Arbeitnehmer übertragen (§ 46 ArbVG).

Zur Teilnahme an der Betriebsversammlung sind alle Arbeitnehmer des Betriebs (bei Gruppenversammlungen die jeweils Gruppenzugehörigen) berechtigt. Gewerkschaften und Arbeiterkammern können zu allen Betriebsversammlungen Vertreter entsenden. Der Betriebsinhaber oder sein Vertreter kann nur dann an der Betriebsversammlung teilnehmen, wenn er vom Einberufer dazu eingeladen wurde (§ 48 ArbVG).

Stimmberechtigt ist grundsätzlich jeder betriebs-(gruppen-)zugehörige Arbeitnehmer, der das 18. Lebensjahr vollendet hat. Heimarbeiter sind nur dann stimmberechtigt, wenn sie im Sinn des Heimarbeitsgesetzes (§ 27) regelmäßig beschäftigt werden.

Die Betriebsversammlung ist beschlußfähig, wenn mindestens die Hälfte der stimmberechtigten Arbeitnehmer anwesend ist. Ist dies bei Beginn der Versammlung nicht der Fall, so kann durch halbstündiges Zuwarten Beschlußfähigkeit erreicht werden. Diese Möglichkeit besteht aber nicht bei einer von der Gewerkschaft oder Arbeiterkammer einberufenen Betriebsversammlung sowie bei Beschlüssen über die Bildung eines gemeinsamen Betriebsrats der Arbeiter und der Angestellten (siehe unten), über die Betriebsratsumlage, über die Enthebung des Betriebsrats oder des Wahlvorstands sowie bei der Beschlußfassung über die Fortsetzung der Funktion des Betriebsrats nach Wiederaufnahme eines vorübergehend stillgelegten Betriebs (§ 49 Abs. 3 ArbVG). Die Beschlüsse der Betriebsversammlung werden mit einfacher Mehrheit der abgegebenen Stimmen gefaßt. Zweidrittelmehrheit ist notwendig für Beschlüsse über die Enthebung des Betriebsrats oder eines Betriebsratsmitglieds (wegen Verlusts der Gruppenzugehörigkeit) sowie bei Beschlüssen über die Bildung eines gemeinsamen Betriebsrats. Die Abstimmung in der Betriebsversammlung erfolgt grundsätzlich offen durch Erheben der Hand. Für die Bildung eines gemeinsamen Betriebsrats der Arbeiter und der Angestellten sowie bei Enthebungen (zum Beispiel des Betriebsrats) ist aber geheime Abstimmung vorgeschrieben, in anderen Fällen dann, wenn der Vorsitzende der Betriebsversammlung dies anordnet.

ÖGB. Briefschule des Bildungsreferats des ÖGB. AR 2. Wipplingerstr. 35, 1010 Wien. Reihe Arbeitsrecht. Betriebsverfassung. Vr. Dr. Josef Cerny, IV. Organe der Arbeitnehmerschaft. Wien: Verlag des Österreichischen Gewerkschaftsbundes GmbH 1980, S. 3–5 (Auszug).

7.6 Betriebsversammlung

Für eine andere Deutschstunde. Arbeit und Alltag in neuen Texten.
Hrsg. v. Arbeitskreis Progressive Kunst. Oberhausen 1976[4]: Asso,
S. 177 (Foto: © Klaus Rose, Schleifenweg 28, 5860 Iserlohn).

7.7 Ludger Hesse: Bandaufseher Karski

Karski steht neben dem Fließband, das wie eine unendliche
Schlange von irgendwo herkommt, ohne sichtbares Ende
an ihm vorübergleitet, irgendwohin, hinter einem Pfeiler
5 verschwindet.

Ein leises Summen erfüllt die Luft, bis das Brüllen der
Maschinen plötzlich einsetzt, für einige Zeit alles andere
verstummen läßt und ebenso plötzlich wieder abbricht.

Auf dem Fließband kommen Teilstücke herange-
10 schwommen. Die Arbeiterinnen greifen sie auf, machen
irgendeinen Handgriff, immer denselben; legen das Teil
wieder zurück.

650,– DM Brutto* für eine Arbeiterin, ledig, vierzig
Wochenstunden, pro Tag acht Stunden, von 7 Uhr bis
15 15.30 Uhr – die halbe Stunde Pause wird nicht bezahlt –
samstags und sonntags frei, um sich wieder für den
Arbeitsprozeß zu erholen, 68,– DM Steuern und 16%**
Sozialversicherung, Miete, Wasser, Licht, Kleidung. Was
noch übrig bleibt, geht drauf für das Essen, die Bild-
20 Zeitung, die Illustrierte, die Filterzigaretten.

Das Fließband läuft. Die Rollen, die es fortbewegen,
laufen lautlos, so glaubt man, denn das Summen wird nach
einer gewissen Zeit nicht mehr registriert, es wird erst
wieder bewußt, wenn es aussetzt, wenn die gleichmäßigen
25 Bewegungen der Hände aufhören, wenn das Band stehen-
bleibt, das dumpfe Dösen gestört wird durch den Ton der
einsetzenden Sirenen, die den Feierabend verkünden.

Karski steht am Ausgang des Werks, sieht auf der Straße
Kinder mit leeren Blechbüchsen spielen, der Strom der
30 Arbeiter setzt ein, ein leichter Nieselregen liegt über der
Stadt, grauer Himmel, Nebel steigt hoch. Durch die
Schwaden fressen sich rhythmisch Autoscheinwerfer,
beleuchten die Gesichter der Frauen und Männer am Tor.
Abgespannt, müde, Lachen, hastige Schritte. Karski geht.
35 Arbeiter an der Trinkhalle nach der Schicht. Sie kaufen

---

* Zur Zeit (1980) ca. 1400,– DM
** (1980) 18%

Zigaretten, reden über die Bundesregierung, die Kommu-
nalpolitik, die Streiks im Nachbarbetrieb. Karski geht
zurück, stellt sich zu ihnen. Sie verstummen, nehmen die
fettig glänzenden Aktentaschen unter den Arm und verschwinden. 5

*Für eine andere Deutschstunde. Arbeit und Alltag in neuen Texten.
Hrsg. v. Arbeitskreis Progressive Kunst. Oberhausen 1976[4]: Asso,
S. 71 f.*

7.8 Horst Kammrad: Meine Eltern und ihre Arbeit

Eine Vierzehnjährige schreibt über ihre Familie

Mein Vater geht jeden Morgen um sechs Uhr aus dem Haus, außer samstags und sonntags, da hat er frei. Um
5 sieben Uhr beginnt seine Arbeit in der Maschinenfabrik. Mein Vater ist Dreher. Er fährt mit der Bahn zum Betrieb. Im Frühjahr wollen wir uns vielleicht einen Volkswagen kaufen. Meine Eltern haben lange dafür gespart. Aber mit dem Wagen können wir dann zu viert viel billiger in den
10 Urlaub fahren. Im letzten Sommer konnten wir nicht verreisen, weil Vater den Führerschein machte, was außerdem viel Geld kostete.

Mein Vater sagt, daß er viel zu schlecht bezahlt wird für seine Arbeit. Oft verdienen Leute, die keinen Beruf ge-
15 lernt haben, mehr. Da kommen ihm die Überstunden ganz gelegen. Der Betriebsrat ist zwar gegen die Überstunden und meint, jeder müßte in der normalen Arbeitszeit soviel verdienen, daß er gut zurecht kommt. Aber viele Kollegen meines Vaters kommen nun mal nicht zurecht. In anderen
20 Betrieben könnte er etwas mehr verdienen. Aber einmal sind diese Fabriken alle viel weiter entfernt, zweitens ist mein Vater schon über zehn Jahre in der Firma und hat sich gewisse Anrechte erworben. Da zahlen sie ihm Zulagen, die nicht im Lohntarif enthalten sind, die sich aber auf die
25 Jahre seiner Betriebszugehörigkeit aufbauen.

Trotz Überstunden und Zulagen bekommt mein Vater 800,– Mark im Monat ausgezahlt. Das ist wenig, wo wir doch schon 280,– Mark Miete für zweieinhalb Zimmer zahlen müssen. Mein siebzehnjähriger Bruder hat gerade
30 mit der Lehre angefangen, und ich gehe jetzt im ersten Jahr auf das Gymnasium. Das kostet alles sehr viel Geld. Wenn ich meine Mutter beim Einkaufen begleite, müssen wir jedesmal feststellen, daß schon wieder alles teurer geworden ist. Nicht nur die Lebensmittel werden von Mal zu Mal
35 teurer, sondern auch die kleinen, alltäglichen Dinge, wie zum Beispiel Seife, Zahnpasta und Rasierklingen.

Mein Vater sagt, daß die Löhne den Preisen immer hinterherhinken. Bevor sie die letzte Lohnerhöhung bekamen, hat es lange und hartnäckige Verhandlungen gegeben. Die Metall-Gewerkschaft, der auch mein Vater angehört, forderte 15% Lohnerhöhung. Die Unternehmer wollten aber nur 7% geben. So kam es dann zu einer Urabstimmung, auch bei meinem Vater im Betrieb. Über 90% der Arbeiter stimmten für einen Streik. Doch bevor sie streikten, gaben die Unternehmer nach. Sie einigten sich auf eine Erhöhung von 10%. Damit waren die Gewerkschaftsmitglieder nicht zufrieden. Sie stimmten noch einmal ab. Diesmal waren es über 60%, die den Abschluß nicht anerkannten. Die Tarifkommission schloß trotzdem mit 10% ab.

Danach war mein Vater recht sauer auf seine Gewerkschaft und seine Kollegen auch. Sie sagten, daß die ganze Abstimmerei ja doch keinen Sinn hat, wenn man alles über ihre Köpfe hinweg von oben her macht. Es wäre viel wirkungsvoller, wenn sie die Arbeit von einer Stunde zur anderen niederlegten und spontan streikten. Gerade in der Maschinenfabrik wäre das wirkungsvoll, weil die einen wichtigen Großauftrag haben, der dem Inhaber der Firma eine Menge Geld einbringt.

Aber meine Mutter sieht das anders. Sie sagt, wenn Vater einen wilden Streik mitmacht, kann er sehr schnell seine Arbeit verlieren, und wir müßten dann einiges zurückstecken, was wir dringend brauchen. Auch der neue Midi-Mantel wäre dann nicht mehr für mich drin. Und dann ist sie auch der Ansicht, daß nach jeder Lohnerhöhung gleich wieder die Preise klettern. Sie sagt, die CDU hat doch recht, wenn sie dauernd von einer drohenden Inflation spricht.

Mein Vater ärgert sich über das Gerede meiner Mutter. Er sagt, das ist nur Wahlpropaganda von der CDU, die ja den größten Teil der Unternehmer hinter sich hat. Mit solchen Parolen will die CDU den Regierungsparteien nur an den Wagen fahren. Mein Vater hält die jetzige Regierung für die zur Zeit bestmöglichste, wie er immer sagt. Die Preise wären in der Vergangenheit auch gestiegen, als die Gewerkschaften sich mit ihren Forderungen sehr zurückgehalten haben.

Dann ist mein Vater auch ärgerlich, weil meine Mutter schon seit drei Jahren keinen Pfennig Zulage von ihrem Chef bekommen hat. Meine Mutter geht dreimal in der Woche zu einem Arzt, macht die Praxis und die Wohnung
5 sauber. Sie sagt dann immer, ihr Chef hätte es ja auch nicht leicht mit dem großen Haushalt und den drei Kindern. In Wirklichkeit ist sie viel zu gutmütig und bringt es einfach nicht fertig, den Arzt um mehr Geld anzugehen, wo er ihr doch ganz von selbst zum letzten Weihnachtsfest 10,– Mark
10 mehr als in den Vorjahren gegeben hat.

Mein Vater aber sagt, jeder muß seine Arbeitskraft so teuer wie möglich verkaufen, wenn er in der heutigen Zeit mit seiner Familie bestehen will. Die Unternehmer erhöhen die Preise für ihre Produkte sofort, wenn sie merken,
15 daß ihre Gewinne niedriger werden.

Also ich sehe das genauso wie mein Vater. Heute morgen habe ich für eine Tube UHU 1,20 Mark anstatt 1,– Mark bezahlen müssen. Mein Taschengeld aber hat sich nicht um 20% erhöht ...

20 *Für eine andere Deutschstunde. Arbeit und Alltag in neuen Texten. Hrsg. v. Arbeitskreis Progressive Kunst. Oberhausen 1976[4]: Asso, S. 80–82.*

7.9 Ursula Salden: Beruf? – Hilfsarbeiter!

Jedes Jahr werden in der Bundesrepublik und in Westberlin ca. 20% der Hauptschulabgänger Hilfsarbeiter oder Jungarbeiter oder Ungelernte. Sie sind fünfzehn Jahre alt und werden nach neun Schuljahren vollständig in den Arbeitsprozeß eingegliedert. Sie werden am wenigsten im Vergleich zu anderen Berufen verdienen. Sie arbeiten in Fabriken, Geschäften und Büros, ohne daß von ihnen besondere Kenntnisse verlangt werden. Also ist die Wertschätzung ihrer Arbeit gering, sie stehen an unterster Stufe der sozialen Rangordnung. Wo liegen die Ursachen dafür? Warum wollen so viele Schüler und Schülerinnen Weiterbildung und berufliche Ausbildung eintauschen gegen die harte und schlecht bezahlte Arbeit?

Zu fragen ist: Aus welcher Schicht kommen die Hilfsarbeiter? Wie ist die ökonomische Lage ihres Elternhauses? Wie verlief ihre Erziehung und Bildung in Elternhaus und Schule? Das heißt, zu fragen ist nach den sozialen Verhältnissen, die deutlich zeigen, wie die bestehende Klassengesellschaft die Entwicklung der sozial Schwachen verhindert. Es ist auch symptomatisch für unser Gesellschaftssystem, daß sehr viel mehr Mädchen als Jungen in ungelernte Berufe gehen.

In Unterhaltungen und Berichten geben Hilfsarbeiterinnen vorwiegend folgende Gründe an:

– Meine Eltern arbeiten beide. Es war ihnen egal, was ich werde.

– Meine Eltern verdienen nicht viel. Mit meinem Geld können wir besser leben.

– Meine Eltern wollen nun nicht mehr für mich aufkommen.

– Ich habe noch mehrere kleine Geschwister. Da ist es gut, wenn ich Geld nach Hause bringe.

– Wir haben eine neue Wohnung zugewiesen bekommen, die ist dreimal so teuer wie die alte. Da muß ich mitverdienen.

– Wir haben uns zu Hause neu eingerichtet. Nun kann ich zu den Abzahlungen beitragen.

– Meine Eltern sind Rentner und haben wenig Geld.

– Ich verstehe mich mit meinen Eltern nicht, ich will bald raus.

– Wir haben eine anderthalb Zimmerwohnung und sind fünf Leute. Ich konnte da nie gut lernen.

– Meine Eltern sind Arbeiter. Es war für sie klar, daß ich es auch werde.

– Meine Eltern wollten nicht, daß ich einen Beruf erlerne, weil ich ja später heiraten und Kinder haben werde.

– Ich wollte ja lernen, z. B. Krankenschwester, aber meine Eltern halten nichts davon, daß ich weiter zur Schule gehe.

– Meine Freundinnen haben auch alle angefangen, in der Fabrik zu arbeiten, da wollte ich auch nichts anderes mehr.

– Mein Lehrer hat gesagt, daß ich eine Lehre nicht schaffen würde.

– Ich war lange Zeit im Heim. Ich will nun selbständig werden.

– Ich war auf der Sonderschule und habe einen durchschnittlichen Abschluß gemacht. Aber man bekommt damit schlecht eine Lehrstelle.

– Ich habe nur die 8. (oder 7. oder 6.) Klasse als Abschluß, da kommt man gar nicht in ein Lehrverhältnis hinein.

– Ich habe keine Lust mehr, zur Schule zu gehen. Schule ist gräßlich.

– Ich kann nicht gut lernen. Ich hatte nie Erfolg in der Schule.

– Mir hat niemand gesagt, was ich lernen soll. Auch nicht meine Lehrer.

– Ich habe eine Lehre angefangen, aber nach einem halben Jahr abgebrochen. Da muß man die letzten Arbeiten machen, lernt nicht viel und verdient ganz wenig.

Drei Berichte von Hilfsarbeiterinnen werden nun im Folgenden wiedergegeben. Der erste veranschaulicht, warum man Hilfsarbeiterin wird, die beiden anderen zeigen exemplarisch deren Arbeitsbedingungen.

I. Bericht (Tonbandprotokoll):
Doris Krüger, 19 Jahre alt. Mit 15 Jahren begann sie – nach dem Abschluß der Hauptschule mit der 9. Klasse – als Botin zu arbeiten. Nach zweieinhalb Jahren meldete sie sich zu einer Schnellausbildung zur Stenokontoristin durch das Arbeitsamt und arbeitet jetzt als Angestellte im Büro:

„Ich habe zweieinhalb Jahre als Ungelernte gearbeitet und habe mich ziemlich anstrengen müssen, um aus diesem Dasein wieder herauszukommen. Wenn ich es mir heute überlege, wie ich in die ganze Misere reingerutscht bin, so muß ich sagen, daß es bei mir eigentlich nicht wie bei anderen an schlechten familiären Verhältnissen gelegen hat. Ich meine, bei anderen sind es soziale Verhältnisse, – da sind vielleicht viel Kinder, die Eltern arbeiten beide, sie können sich nicht um die Kinder kümmern, die Eltern sind geschieden und so, aber das war bei mir gar nicht. Es war eigentlich alles normal. Es lag mehr an dem Wissen meiner Mutter. Sie hat mir nichts beigebracht. Ich hatte von zu Hause überhaupt keine Hilfe, weil meine Mutter überhaupt nichts wußte über schulische Dinge. Sie sagte, später heiratest du sowieso und dann ist der Beruf futsch, dann sitzt du zu Haus. Und wenn du jetzt arbeiten gehst, verdienst du gleich Geld. So sind wir darauf gekommen, daß ich als Bürobotin arbeite. Sie hat gesehen, daß meine Schwester mit 20 geheiratet hat, zwei Kinder hat und zu Hause ist, da sagte sie, so wird es dir auch gehen. Es ist nicht nötig, daß du etwas lernst, außerdem stehen wir uns auch nicht so gut.

Sie hat sich gar keine Gedanken gemacht, was das bedeutet, nichts zu lernen. Ich glaube heute, meiner Mutter ist es vollkommen egal gewesen, was aus mir wird.

Meine Mutter hat nichts von mir verlangt, weil sie selbst keinen Beruf hat. Sie hatte früher nicht die Gelegenheit dazu, sie mußte auch gleich arbeiten gehen, weil die bei ihr zu Hause kein Geld hatten.

Hätte meine Mutter gesagt: du lernst jetzt! es gibt nichts anderes! du mußt lernen! dann hätte ich es auch gemacht, denn ich war ja noch so kindisch gewesen, daß ich gar nicht wußte, was ich wollte.

Also, wie ich von der Schule kam, wußte ich nicht, was ich machen sollte. In der Schule hatte ich auch nichts richtiges erfahren. Wir haben da so ein Fach gehabt, wo Berufe besprochen werden sollten. Aber ich glaube, unse-
5 rer Lehrerin war es auch egal, was wir werden. Sie hat jedenfalls keine derartigen persönlichen Gespräche geführt. Wir haben zwar ein Praktikum gemacht, wo wir ein bißchen als Verkäuferin und als Kinderschwester gearbeitet haben, aber die vielen Berufsmöglichkeiten sind
10 uns nicht gezeigt worden. Alles blieb im allgemeinen, man hat nichts richtig erfahren. Und es wurden nur die üblichen Berufe vorgestellt, die wenig einbringen und wo viele Leute fehlen, nämlich Verkäuferin und Krankenschwester. Das gleiche hat auch das Arbeitsamt gemacht. Die wollten
15 nur die Stellen besetzen. Eine Schülerin wollte Dekorateu- rin werden, da haben sie ihr gesagt, daß sie das nicht schaffe, und da ist sie eben Verkäuferin geworden. Ich glaube, die Lehrer haben ziemlich wenig Ahnung von den Berufen und Arbeitsbedingungen. Wenn z. B. viele Mäd-
20 chen in die Fabrik gehen wollen, müßten sie ihnen doch klarlegen können, was sie da erwartet, was sie damit erreichen, aber das sagt ihnen niemand. In unserer Klasse hat sich niemand darum gekümmert, die haben bloß gefragt, wer eine Stelle hat, Hauptsache, alle sind beschäf-
25 tigt, das war alles. Auch bei der Abschlußfeier wurde nur gesagt, daß wir nun hinaustreten ins Leben, aber wie das ist, blieb ungesagt.

Aber nicht nur die fehlende Beratung war ein Grund, wir wollten auch nicht mehr zur Schule gehen. Es hängt so
30 viel von den Lehrern ab, ob man noch lernen will oder nicht. Vielen hat es nicht mehr gefallen. Man wird als Kinder behandelt, muß immer machen, was der Lehrer sagt. Da denkt man, wenn man aus der Schule rausgeht und arbeitet, ist man selbständig und erwachsen. Und
35 wenn ich an die denke, die ein- oder zweimal sitzengeblie- ben sind, die kamen oft in Extraklassen. Da haben die Lehrer gar nicht gerne unterrichtet, das haben sie uns oft gesagt. Von denen sind viele Hilfsarbeiter geworden. Denen wurde kaum noch geholfen, die werden immer

schlechte Leistungen gehabt haben. Wenn man schlechte Zensuren bekommt, will man nicht mehr weitermachen. Auch wenn die Sitzenbleiber in den normalen Klassen bleiben, haben sie es schwer. Sie fühlen sich zurückgesetzt, keiner hilft ihnen, sie benehmen sich dann schlechter, da müßte sich auch der Lehrer dafür einsetzen, aber welcher macht das schon? Und wenn, dann auf die mitleidige Tour, das ist ja ganz schlecht.

Ich glaube, die Einsicht, daß man lernen muß, kam erst, als ich selbst gearbeitet habe. Ich habe in einer Firma als Botin gearbeitet. Es war da ganz gut gewesen, aber nur, weil ich mich von Anfang an Liebkind gemacht hatte. Ich habe mich immer geduckt und zu allem Ja und Amen gesagt. Ich habe alles geholt und besorgt, was die mir aufgetragen haben und habe alle Arbeiten gut gemacht, und so waren sie zufrieden mit mir. Ich hatte keinen Ärger, aber irgendwann kommt man sich wie ein gehetzter Hund vor. Man läuft für andere Leute, weil die zu bequem und faul sind, etwas zu machen. Die denken, was habe ich das nötig, ich habe meine Lehrzeit hinter mir und mache keine Nebensächlichkeiten, dafür ist die andere da, die alles machen muß. Also, ehrlich gesagt, man hat nur ein gutes Leben, wenn man sich duckt und Interesse heuchelt. Und das hat mir bald gestunken. Jeden Tag dasselbe, und man kann immer versetzt und benutzt werden, wie es den anderen gefällt.

Aber das mit dem Geldverdienen ist auch so eine Sache. Ich denke da an einen Arbeiter, der 18 Jahre alt ist und 700 DM verdient, der ist wahnsinnig stolz darauf. Aber was macht der, wenn er älter ist, kann er dann noch so schwer arbeiten? Und wenn unsere kleine Firma mal eingeht, wo kommt er dann an? Sind dann 700 oder 800 DM viel Geld, wenn man dann noch Kinder hat. Die werden dann wahrscheinlich auch wieder 15 Jahre alt und gleich arbeiten geschickt, weil das Geld nicht reicht.

Als ich mich selbst endlich entschlossen hatte, doch noch etwas zu lernen, machte ich eben diese Schnellausbildung durch das Arbeitsamt. Diese Schule war sehr schwierig für mich. Die anderen, die Weiterbildung machten, hatten alle schon einen Beruf, waren viel besser in ihren Leistungen als ich, und die waren so furchtbar streberisch. Jeder ackerte da vor sich hin und war ehrgeizig. Manchmal wollte ich schon aufhören. Ich habe nachmittags und abends zu

5 Hause alleine ackern müssen, und ich bin schließlich doch durchgekommen.

Jetzt verdiene ich 750 DM als Angestellte im Büro, als Botin habe ich knapp 400 bekommen, später hätte ich höchstens 600 verdient. Nächstes Jahr aber hoffe ich 1000

10 DM zu bekommen."

II. Bericht (schriftliche Darstellung des Arbeitsalltags):
Brigitte, 17 Jahre alt, lebt mit Großmutter, Mutter und jüngerer Schwester in einer Anderthalb-Zimmer-Wohnung, Altbau, Außentoilette, Ofenheizung. Sie erreichte

15 die 8. Klasse, traut sich selbst wenig zu, hat die Schule in schlechter und belastender Erinnerung. Mit 15 Jahren bekommt sie ein Kind, den Mann, einen Zuhälter, will sie nicht heiraten. Die Großmutter übernimmt die Pflege des Kindes. Brigitte muß arbeiten, weil sie existieren muß. Ihr

20 Lebenslauf ist abgesteckt:

„Ich stehe jeden Morgen um 4.30 Uhr auf. Wasche mich, ziehe mich an und gehe zur S-Bahn. Ich fange um 6.30 Uhr an zu arbeiten. Stelle die Maschinen ein, hole die Glimmerteile vom Schrank, stelle sie an den gewünschten

25 Platz. Mache sie in die Trommeln von den Maschinen rein und die Paste besprüht sie dann. Bleibe eine ganze Stunde an den Maschinen stehen. Beobachte, daß auch alles in Ordnung ist. Nach einer Stunde werde ich von einer Kollegin abgelöst. Sie tut dann eine Stunde genau dasselbe

30 wie ich. Danach wasche ich mir die Hände, setz mich auf meinen Platz und sortiere irgendeine gewünschte Type der Glimmerteile. Vielleicht sitze ich dann gerade zehn Minuten, muß ich schon wieder aufstehen und im Keller neue Arbeit holen. Fahre dann mit dem Fahrstuhl nach dem

35 Keller, hole die Arbeit, fahre nach oben, lade sie ab und setze mich dann wieder hin. Und inzwischen ist dann schon die Frühstückspause. Sie ist um 8.45 bis 9.00 Uhr. Dann sind inzwischen zwei Stunden um und ich stelle mich

wieder an die Maschine. Bis ich wieder nach einer Stunde abgelöst werde. Dann setze ich mich wieder und sortiere. Dann kommt 12.05 die Mittagspause, sie dauert normalerweise bis 12.30 Uhr. Für Jugendliche bis 12.50 Uhr. Also meine Pause. Dann geht es bis 14.30 Uhr durch und die Maschinen werden sauber gemacht. Und um 15.10 Uhr ist Feierabend.

Wenn ich abends nach Hause komme, bin ich sehr müde. Ich bin abends manchmal noch nicht einmal imstande, Fernsehen zu gucken. Doch leider muß ich sogar noch mehr tun. Denn mein Kind will beschäftigt sein. Sie weiß nicht, daß ihre Mutter zu müde und abgespannt ist, um mit ihr zu spielen. Ich trinke dann zwei Tassen Kaffee, die halten mich dann einigermaßen wach. Ich gehe so ungefähr um 10.00 Uhr ins Bett. Und morgen früh wieder dasselbe. Für mich ist am Wochenende immer das schönste, daß ich mich ausschlafen kann und Ruhe habe. Das Geld, was ich verdiene, reicht einigermaßen zum leben. Ich verdiene 2,63 die Stunde. Raus bekomme ich knapp 400 DM. Davon gebe ich 150 DM Kostgeld ab. Den Rest behalte ich. Natürlich muß mein Kind auch davon leben. Also gehört es mir nicht ganz allein. Denn um in Urlaub fahren zu können, ist das Geld zu wenig. Das reicht nicht einmal für mich allein. Doch ich muß manchmal so hart arbeiten und bekomme so wenig Geld."

III. Bericht (schriftliche Darstellung des Arbeitsalltags): Regine, 16 Jahre alt, lebt mir ihrer Großmutter zusammen, ihre Mutter ist schwer krank. Regine zeigt im Unterricht Interesse und Selbstvertrauen. Sie muß aus finanziellen Gründen arbeiten. Ihre Lernfähigkeit und Aufnahmebereitschaft werden allmählich durch die Arbeitsbedingungen in der Fabrik verschüttet. Sie will sich nicht mehr verändern:

„Ich heiße Regine, bin 16 Jahre alt. Seit Oktober bei ... als Arbeiterin tätig. Verdiene 2,25 DM in der Stunde und habe sonnabends frei.

Um 6.30 h ist Arbeitsanfang bis 8.55 h, dann haben wir Frühstückspause, die um 9.10 h zu Ende ist. Dann wird

97

weitergearbeitet, zwischendurch mal auf die Toilette eine
rauchen, bis um 12.05 h, dann haben wir Mittagspause, die
45 Minuten lang ist. Wieder vor den Maschinen sitzen und
ewig diese monotone, gleichbleibende Arbeit, ab und an
5 wird zur Uhr geguckt, ob es noch nicht Feierabend ist.

Es ist keine körperliche Schwerarbeit, die man leisten
muß, aber nervlich, immer Tag für Tag dieselben Geräusche, Maschinen rattern, Kästen fallen auf die Erde,
Baumaschinenlärm von außen. Türen klappen. Die eine
10 Arbeiterin lacht, die andere meckert, die Ausländer reden
in ihrer Sprache durch den ganzen Raum, und das alles Tag
für Tag, das hält man nicht ewig aus, man wird auch
gleichgültig, monoton, einsilbig, genau wie die Maschinen.
Man ist zu faul, etwas zu sagen oder zu Hause noch was zu
15 tun.

In der Mittagspause gehen wir in die kleine Kantine, wir
haben noch eine große Kantine, aber nicht hinter dem
Vorhang, wo wir Jugendlichen eigentlich sitzen sollten.
Man ißt und trinkt, raucht und man ist auch ein bißchen
20 von der Arbeit abgelenkt. Wenn man Sonnabend und
Sonntag frei hat, dann gewinnt man ein wenig Abstand von
der Arbeit und man hat dann in der Woche ein wenig mehr
Lust zur Arbeit. – Wir bekommen in der Kantine Mittages-
sen auf Marken, Kaffee auf Marken und das andere, z. B.
25 Wurst, Schrippen, Butter, Süßigkeiten und Kuchen
bekommt man 3 bis 4 Pfennig billiger als draußen. Ich habe
früher gerne gelesen, heute kann ich das nicht mehr lange,
weil meine Augen auf der Arbeit sehr angestrengt sind. Ich
muß Stunde um Stunde auf einen Fleck schauen, ewig die
30 kleinen Teile zusammenschweißen und kontrollieren, oft
sieht man das Gitter nicht mehr, aber der Meister glaubt
das nicht, also bekommt man auch keine andere Arbeit.
Soll das ewig so weiter gehen, sich am Wochenende nur für
die kommende arbeitsreiche Woche zu erholen, und um
35 sich auf das nächste Wochenende zu freuen?"

*Für eine andere Deutschstunde. Arbeit und Alltag in neuen Texten.
Hrsg. v. Arbeitskreis Progressive Kunst. Oberhausen 1976[4]: Asso,
S. 147–154.*

7.10 Uwe Timm: Hans im Glück

Er erbte eine Fabrik
der hat eben immer Glück

Er besitzt kurssichere Aktien
was der auch anpackt gelingt immer   5

Er hat einen gepflegten Park
das macht der alles im Handumdrehen

Er duzt den Oberbürgermeister
der hat eben eine glückliche Hand

Er sitzt in mehreren Aufsichtsräten   10
der steht unter einem glücklichen Stern

Er speist oft mit dem Finanzminister
der zieht eben immer das große Los

das war schon immer so
das ist eben so   15
das wird auch immer so bleiben

daß der nicht das große Glück brauchte
um eine Fabrik zu erben
sondern nur das Erbgesetz

daß der nichts anpacken mußte   20
um kurssichere Aktien zu besitzen
sondern daß dafür viele andere anpacken müssen

daß der seine Hand nicht einmal umdrehen mußte
um einen gepflegten Park zu haben
sondern daß das die ungepflegten Gärtner machen   25

daß der keine glückliche Hand haben mußte
um den Oberbürgermeister zu duzen
sondern nur eine Fabrik erben muß

daß der nicht unter einem glücklichen Stern stehen
mußte um in mehreren Aufsichtsräten zu sitzen sondern   30
sich nur mit dem Oberbürgermeister gut stehen muß

daß der nicht das große Los ziehen mußte
um mit dem Finanzminister zu speisen
sondern nur jenen die nicht mitspeisen dürfen einreden
muß daß das ihr Los sei

5 *Für eine andere Deutschstunde. Arbeit und Alltag in neuen Texten.*
   Hrsg. v. Arbeitskreis Progressive Kunst. Oberhausen 1976[4]: Asso,
   S. 188 f.

*Für den Literaturunterricht in den Klassen 9/10 empfehlen
wir außerdem folgende Klett-Lesehefte:*

Kurt David:
Die Überlebende (gekürzt)
Text und Materialien, bearbeitet von Juliane Eckhardt
Klettbuch 26079 (Lehrerheft 260792)
Der erstmals 1972 veröffentlichten Novelle des DDR-
Autors liegen authentische Dokumente einer antifaschisti-
schen Partisanenaktion in Polen aus dem Zweiten Welt-
krieg zugrunde.

Johann Wolfgang von Goethe:
Götz von Berlichingen
Text und Materialien, bearbeitet von Jörg Bohse und
Wolfgang Pasche
Klettbuch 26076 (Lehrerheft 260762)

Heinrich von Kleist:
Das Erdbeben in Chili
Text und Materialien, bearbeitet von Horst Flaschka
Klettbuch 26068 (Lehrerheft 260682)

Konkrete Poesie
Text und Materialien, bearbeitet von Anneliese Senger
Klettbuch 26062 (Lehrerheft 260622)

Günter Kunert:
Lieferung frei Haus
Text und Materialien, bearbeitet von Birgit Lermen
Klettbuch 26089 (Lehrerheft 260892)

Peter Lahnstein:
Der junge Schiller
Text und Materialien, bearbeitet von Jürgen Wolff
Klettbuch 26118 (Lehrerheft 261182)

Siegfried Lenz:
Das Feuerschiff
Text und Materialien, bearbeitet von Uwe Japp
Klettbuch 26024 (Lehrerheft 260242)

Jack London:
In den Slums / Der Abtrünnige (gekürzt)
Text und Materialien, bearbeitet von Jutta Grützmacher
Klettbuch 26087 (Lehrerheft 260872)

Phantastische Geschichten
Text und Materialien, bearbeitet von Stefan Lehle
Klettbuch 26109 (Lehrerheft 261092)
Enthält Erzählungen von Stoker, Quiroga, Mordtmann,
Hohler Dickens u. a.

Edgar A. Poe:
„Grube und Pendel" und andere Erzählungen
Text und Materialien, bearbeitet von Waltraud Mönnich
Klettbuch 26114 (Lehrerheft 261142)

Christa Wolf:
Unter den Linden
Text und Materialien, bearbeitet von Birgit Lermen
Klettbuch 26091 (Lehrerheft 260912)

Stefan Zweig / Robert Scott / Wolfgang Weyrauch:
Der Kampf um den Südpol
Text und Materialien, bearbeitet von Jürgen Wolff
Klettbuch 26084 (Lehrerheft 260842)
Hierzu gibt es die Hörspiel-Cassette von Wolfgang
Weyrauch: Das grüne Zelt, unter der Klett-Nr. 260841